桜美林大学叢書 vol.010

人はなぜ学ぶのか
学問の事始め

佐藤正典
SATO Masanori

はじめに

この本は、学問を土台から学びたいと思う人たちに向けて、その道標（みちしるべ）として書かれた。特定の科目の入門書として書かれたものではない。対象は、大学に在籍する学生諸君、又はすでに大学を終えて社会人となったが、「結局、学問とは何だったのか」と今も心の中で思い続けている人たちである。さらに、大学で学ぶことはなかったが、学問に関心を寄せ続ける人々がいる。そうした人たちにも、この本をもし手に取っていただけたら、著者はどれほど嬉しいことだろう。著者は、学費がないため働いた後に大学に進み、在学中も学費を作りながら卒業した経歴を持つ。

学校時代、いろいろな事柄を教えられたが、「知識の寄せ集めをただ暗記させられただけで、それを面白いとは思わなかった」と語る人たちがいる。それはひとえに、知識の奥を支える土台や原理に触れる機会がなかったことが原因だと思う。物事の背後には必ず、目には見えない原理が作用している。それに接近し、原理を見破ろうと努めることが知の力を養うということだと思う。知の力とは、知識を生み出す元となった源泉つまり知見の土台に接近する力である。

原理を追究する物の考え方を養うことによって、その場凌（しの）ぎの、いい加減な議論の誤りに気がつくようになるだろう。いい加減な議論とは、時間が経ち状況が変化すればすぐに通用しなくなる議論である。例えば、最近チャットGPTというツールが出現したが、裁判の判決や政治上の討論に利用すれば便利だという人たちがいる。これは、人間と社会をめぐる価値の判断が歴史を通して精妙に積み上げられたものであることを忘れた意見ではないかと思う。しかし、悪貨は良貨を駆逐する。今後、世界はチャットGPTによって席巻されるだろう。だからこそ人類の知恵が求められる。

もともと学ぶことは喜びであり、楽しいことである。もしそれに気づかないまま生涯を閉じるとすれば、あまりにももったいないことではないかと著者は思う。人類はホモ・サピエンス（賢い存在）と呼ばれるほどの知的な存在で、好奇心の旺盛な生き物であり、それが満たされることによって無上の喜びを感じるように仕上がった存在である。

学問をしようと思う人に年齢は関係がない。いつからでも始められる。未知の世界を知りたいと思う人の感性は、幼児が周辺世界を見渡す時のように瑞々(みずみず)しいという。そうした人たちが、水路を外すことなく港を出て〈知の外洋〉に達し、大海原の広さと豊かさを実感する手がかりをつかんでくれたら、本書の役割は達成されたことになる。外洋に到達しさえすれば、後はその人自身の判断で〈知の航海〉を続けることが可能になるだろう。

物理学者で随筆家でもあった寺田寅彦は、日常と知の世界の関係について、著書の『柿の種』に次のように書いている。

「日常生活の世界と詩歌の世界の境界は、ただ一枚のガラス板で仕切られている。このガラスは、初めから曇っていることもある。生活の世界のちりによごれて曇っていることもある。二つの世界の通路としては、通例、ただ小さな狭い穴が一つ明いているだけである。……ある人は、初めからこの穴の存在を知らないか、また知っていても別にそれを捜そうともしない。」[注1]

寺田の言葉は、豊かな知的世界に遊んだ人の譬え話として興味深い。文中の「詩歌」を「学問」に置き換えると意味は全く同様に通じる。

人と宇宙の関係に目を移してみよう。私たちは、広大な宇宙に浮かぶ地球に張り付いて生存する。この球形の天体は涯（はて）しのない海原を進む孤舟のようなものだ。舟は誰が操っているのだろう。また、いつか碇泊することはあるのだろうか。全宇宙は波打つ波動の現象世界に見える。そうであるならば、そこに生きる私たち人類の存在や活動もまた波動の現象に違いない。

さらに、万物一切は137億年前の宇宙誕生の大爆発（ビッグ・バン）によって生成されたという。天体がその爆発によって飛散した破片であるとすれば、人類もまた宇宙の欠片（かけら）、星屑に違いない。そうだとすると、人類が宇宙を観察することは欠片が宇宙を観察することを意味するだろう。宇宙とは別の、何者かが宇宙を観察しているのではない。宇宙の一部が宇宙を観察しているのである。宇宙は自身を観察している。

人々が話し、考えるのも、それは宇宙が話し、考えることを意味するのではないだろうか。こうして、地上に立つ人間の視点から宇宙の視点にまで目を移し、そこから私たち人類の存在を見つめることも大切なことではないだろうか。

古代ローマの哲学者セネカは、『人生の短さについて』という書物に「諸君は永久に生きられるかのように生きている」と書き残した。多くの人々は自分の人生にはまだ十分な時間が残されていると思っている。特に若者はそうだ。しかし、人生は一瞬の光芒（こうぼう）に違いない。老人と若者に残された時間の差はわずかである。それを忘れて、「いつまでも生きる」つもりでいるために、人は時間を浪費し惜しむことがないのだろう。「やがて死を迎える。人よ、心せよ。」——それがセネカの遺言であろう。

桜の咲く美しい季節に大学生又は社会人として、夢を膨らませながら出発したまではいいが、直後から航路を見失い漂流してしまう人がいる。しばらくは順風に吹かれ進んだように見えても、やがて難破し希望を失い、日々ぼんやりして動かなくなってしまう人もいる。そうなると、人は無為に陥り、刹那主義に走るようになってしまう。

空しく時間を費やす日々に終止符を打ち、人生を充実させる方向に舵を切るために、人には希望が必要だ。希望とは、自分を変えようとする決意のことだ。現在の自分を変えることが可能だと信じ、そのための今後の行動を思って決意するとき、人は心の中に喜びが沸き上がるのを感じ、顔を上げる。それが希望だ。

学問は希望とつながっている。なぜなら、人は知を得ることによって精神の地平線を広げて内面世界を豊かにし、自分を変える機会を掴（つか）み取ることができるのだから。

2023年6月

佐藤 正典

伸びやかに健やかに成長した大樹＝ GRACE 工房写真集

人はなぜ学ぶのか

——目次

第3章　断片から根源へ――根本原理の探求

第5章　学修の方法――どう学ぶか

第6章　試練に耐える

第7章　希 望

第9章　存在と宇宙――波打つ宇宙のほとりで

《第１章》

学ぶ喜び

哲学は一つ以上存在しうるか？ ということを問うてみなくてはならぬ。……ただ一つの人間理性があるだけなのであるから……哲学の真の体系はただ一つしかありえないだろう。

——カント

《第1節》好奇心

1. 知は楽しい

自然科学の分野でノーベル賞級の大きな賞を取った人の報道があると、「そんな難しいものを発見しても、一体何の役に立つの？」という感想を漏らす人が必ずいる。人はどうしても、自分の生活にどんな影響があるのかをまず品定めしたい。それもまた当然のことかも知れない。

これについて物理学者の大栗博司氏は、次のように書いている(注1)。

「役に立たないことがわかっていても、好奇心には勝てません。そして私はそんな人間の営みにはすばらしい価値があると思っています。」

「……私自身は、自分が研究している分野について、多くのことを人に伝えたいと思っています。理由は単純。それが、楽しいことだからです。」

知を探求し、それに楽しさを感じる時、人は満足で愉快な気分、快い状態にある。私たちは日々の暮らしの中で、気が晴れず、憂鬱な思いに襲われることがあるが、何かに夢中になるとそうした状態は雲散霧消、消え去って行く。夢中になる方法は人さまざまだが、大栗氏の場合、好奇心に動かされて研究に没頭している時が最高のようだ。

人生を退屈だと感じている人は、何か夢中になるものを一つ見つけるのが一番だと思う。本を読んで夢中になるのは、誰にでもすぐにできる手近な方法だ。良い本に出会えば、退屈は消えて行き、心の中に静かな喜びが湧き上げるだろう。その時、少し大げさにいえば、本は読む人の精神世界を広げてくれている。

2. 知の潜在力

大栗氏が書いているのは、人には好奇心が深く根づいていて、それに従い導かれることが喜びになるということだ。もちろん、「ただ楽しいからいい」といっているのではなく、自由な好奇心に突き動かされることによって、やがてそれが人々の生活に実利——ときに飛躍的な！——をもたらす潜在力があることを示唆している。大栗氏は、知に秘められた豊かな可能性を伝えたいのだと思う。すぐ役に立つことだけに目を奪われてはいけないと語っているようにも感じる。

1980年代、日本経済が全盛期を迎え米国経済が傾くと、日本の経営者たちから「米国企業は近視眼的だ」という批判の声が上がった。株価の上昇を狙うあまり、米国人経営者たちが短期的利益の確保に走り、企業を発展させる中長期的視野を欠いているという批判である。こうした時期に、米国の高名な学者が、東京の講演会で「日本は逆に遠視になり過ぎているのではないか」と語ったことがある。近視と遠視。研究と経営は別の話だが、大栗氏は、学問の底上げ、基礎的な研究の持続性の観点から遠視眼的視点の大切さを説いていると思う。

《第2節》哲学

1. 考える筋道

「下手な考え休むに似たり」といわれる。時間を費やして幼稚で誤った結論を出すようでは意味がない。誰かがもし「物体Aは長さが10センチ、物体Bは重さが50グラム、だからBの方がAよりも大きい」といったら、センチとグラムの単位を混同し、比較できないものを比較しているので、聞く人はそれを変だと思うはずだ。しかし、身近なことだと気がつくが、例えば政治や経済の話となると、それと似たようなことを平気でいう人が世の中にはたくさんいる。これだとまずいので、大事なことを考え、議論するためには事前によく整理し、取りかかることが大切だ。物事には考えるための約束事、筋道がある。

米国の大学で、卒業論文のテーマに「アルコール摂取が成績に与える影響」を取り上げた学生がいた。アンケートを行い、毎月のアルコール量と成績について聞いた。データを収集し、卒論に「二つの間に明らかな関係が認められる」と書いた。「摂取の少ない学生は成績が良く、摂取の多い学生は成績が悪い。これでアルコールが成績に与える悪影響が分かった」という。しかし、書いた学生は決定的な誤りを犯していることに気づいていない。実は、成績の良し悪しは結果ではなく原因である可能性もある。つまり、成績の良い学生は勉強するので酒を飲む時間も摂取量も少なく、逆に悪い学生は勉強しない分、それが多いのかも知れない。成績の良し悪しが結果ではなく、原因である可能性がある以上、その可能性を否定し、自分の結論を正当化するだけの根拠を示さないといけない。また、成績の悪い原因は、夜遊び、長時間のアルバイト、失恋、学力が低い、などもあるはずだが、卒論はアルコール以外について考察していない。この卒論の例は、思い込みの危険、そうならないためには事前によく考え準備する必要があることを教えている。

2. 暴力から文明へ

政治権力も法もない自然状態で弱肉強食の闘争が行われたら、強者必勝（＝優勝劣敗）である。それは人でも動物でも同じことだ。腕力の強い方が必ず勝つ。ライオンとシマウマが草原で繰り広げる生存競争を思い浮かべれば、それがどんなものかは容易に想像がつく。ルールがなければ、自動的に破壊力の強い側が勝つ。

人の社会は、歴史を歩む中で、動物界と違いルールを考え出した。強い者が力づくで弱者を殺害、破壊し、また財産を奪うことを正しくないと考えるようになったためだ[注2]。正義の観念の発生である。そこから、習俗、道徳、宗教、法律などのルールが誕生した。結局、ルールとは、暴力の強者を抑え弱者を保護することを意味する[注3]。

スポーツにもルールがあり、その枠の中で勝敗を決める。勝てばいいのだといってルールを無視し、取っ組み合いで決着を付けるなら、ただのケンカである。議論も同じで、大声で脅し相手を沈黙させて勝ったつもりでいても、ただの恫喝にすぎない。議論は、静かに行う必要がある。

人類は、歴史を通して、「暴力の強者」を抑え、「知の強者」を尊重する風を養った。それが文明、文化さらには学問、哲学である。人類は野蛮と決別したのである。The pen is mightier than the sword. =「ペンは剣より強し」という。しかし、人類は、なお半身は野蛮から成る。だからこそ、野蛮と決別する意志を表明し、理念を掲げることに意味がある。

3. 哲学の意味

人類は、知を獲得するため、有効で効率の良い方法について考えをめぐらせて来た。何よりも誤謬を排除しなければならない。そのために、考察の原理、指針となるのが哲学である。もっとも哲学（philosophy）の定義は、哲学者の数ほどあるといわれる。つまり「哲学って何？」と聞くと、返って来る答えが哲学者によって全部違うという意味だ。

「哲学は考えることを考えることだ」と謎のようなことをいう人もある。これは考察によって真理に接近するためには、方法論や考え方について前もってよく整理しておかなければならないという意味だ。

哲学とは科学と違って、まだ分かっていない領域について思考することだという人もいる（注4）。分かって来ると、そこに科学が成立する。自然科学には、以前はよく分からなかったが、今は解明されたという問題がたくさんある。例えば世界は何によってできているかという問題が昔からあって、古代ギリシャ時代には水、火、原子などの議論があった（注5）。現代になって物理学の研究が進むと、素粒子論によって説明されるようになった。これはかつて哲学の領域にあったものが科学に移行した例だ。

哲学とは世界や宇宙の構造が対象だという人もあれば、より善い生き方を求め人生について考えるものだという人もある（注6）。

こうして、人によって哲学の意味は異なるが、おそらく物事を究めるための学問であるという点では一致するだろう。ここでは、哲学を「物事を根本から統一的に考察するための学問」としておこう。「統一」とは物事に矛盾が生じないよう相互に関連付けて考えることを意味する。

《第3節》考えて気づく

ノーベル物理学賞を受賞した朝永振一郎博士は、若者に向けて次のような言葉を残した(注7)。そこに書かれた言葉は、自然科学だけでなく、あらゆる学問に当てはまる。

ふしぎと思うこと　これが科学の芽です
よく観察してたしかめ　そして考えること　これが科学の茎です
そして　最後に　なぞがとける　これが科学の花です

朝永博士の言葉は、哲学の歴史を重ね合わせて考えると、大変興味深い。哲学は古代ギリシャで誕生したが、それは周辺世界に対する問いかけから始まった。「存在」の根源的な意味と根拠に向けた探求の始まりである(存在論)。初めに「ふしぎと思う」。それが科学の芽にあたる。

その後、ヨーロッパ近代に入ると、「存在」を知るためには人の認識の構造や過程をよく考察する必要があるという考え方へと発展した。それまで「存在」は当然で、それが人に感知されるだけだと考えられた(注8)。しかし、存在は誰が見ても不変で当然だという前提は本当に疑いのないものだろうか。人が「存在」を感知するのは、感覚に入力があったからである。

しかし、入力があっても実は何も存在しない、又は別なものが存在する、という場合があるかも知れない。その可能性は残る。実際、現代物理学が解明した、時間と空間が歪むという知見は、日常生活の中で人々が思い描く世界とはまるでかけ離れている。果たして、入力され感覚に達したものがそのまま真実の「存在」だと考えて安心していいものだろうか。こうした点を考察し追求するのが「認識論」であり、「観察してたしかめ　そして考える」科学の茎にあたる。

こうして人類の知見は芽から茎へと進んだが、残念ながらいまだに花は咲いていない。現代は、ホモ・サピエンスの思考が存在論から認識論へと発展した段階の、その途上にある。

《第4節》見えない世界

1. 人の周辺世界

(1) 感覚と経験

子供時代、リンゴをよく食べた人は、秋になると甘酸っぱいリンゴが恋しくなる。しかし、リンゴを食べたことがない人は食べたいとは思わない。味を思い出すこともないし、ナシの味と比べて違いを説明することもできない。経験は人を決定的に縛る。人は経験の中に閉じ込められ、「カゴの鳥」になるのだ。そこから飛び出すことができない。

しかし、経験だけが人を縛り付けるのだろうか。試しに、自分の頭に詰まっている物事（観念＝概念＝言語）を取り出してみよう。鉛筆、窓、石ころ。それから、樹木、日本、会社、宇宙人。少し難しくなって、世界、時間、哲学。

見たり触れたり、かじったり（！）したことがないのに頭に入っている物事がある。宇宙人に知り合いはいないのに、いつの間にか「宇宙人」が頭に入っている。これはどうしたことだろう。

それはきっと、こういうことだ。宇宙人のことなら何でも知っている専門家がテレビに出演して「宇宙人はタコのような体をしているのです」と語るのを聞いて、それを誰かが学校の休み時間にしゃべったのだ。「ブヨブヨしているらしいよ。」なんて解説しながら。みんな、それを先生の授業よりも真剣に聞いた。そうだ、それに違いない。そういえば、自分もテレビで、頭のでかいクラゲみたいな火星人の姿を見たことがあるような気がする。少年雑誌の絵だったかも知れない。ということは、やっぱり見たり聞いたり読んだりしたこと、つまり経験したことが頭の中に入っているのだ。

(2) 経験を超えた世界

では、「会社」というのはどうだろう。誰かが言うかも知れない——大きな建物があって、その中でたくさんの人が働いている、男性はネクタイの人が多い、給料をくれる社長もいるんだ、会社はたくさんあるから街に出ればすぐ見つけられるよ——。でも、建物は「会社」の持ち物だし、働いている人たちも「会社」の従業員だから、建物も従業員も「会社」に関係はあるが「会社」ではない。それとも、社長を連れて来て、「この人が、つまり会社です」とやれば済むだろうか。どうも違う。「会社」は、目で見たり手で触れたりすることができない何か、だと思う。

「日本」もよく分らない。天皇や内閣総理大臣、国会議員は日本だろうか。日本の大企業や製品、さらに富士山は日本だろうか。もし、そうしたもの全部を含めたものが日本だといわれたら、ますます混乱する。おもちゃ箱におもちゃをガチャガチャ入れるようなことをやっていたら、後になって最高裁判所や京都など「これ、入れるのを忘れてました」と追加が次々に出てくるだろう。逆に箱から出して捨てるのもあるかも知れない。政治学には、国家の要素として国民、実効的な政治権力、領土の三つを挙げる学説がある。しかし、これも三つそろえばそのまま国家が成立するという意味ではない。国家という、目には見えない抽象的な存在の特徴的な要素として三つが入っているという意味だ。イチゴ・ショートは、イチゴと生クリーム、生地がそろえば完成する。しかし、国家は三要素だけで完成するわけではない。ハンス・ケルゼン(注9)という法学者は「国家とは統一法秩序である」(注10)と達観した。国家は軍隊などの実力組織ではなく、法学上はどこまでも統一的な法秩序を意味するという。

「日本」も難しいが、「時間」や「哲学」になると、ますます分からない。目覚まし時計を持って来て音を鳴らし、「これがつまり時間さ。毎朝、ジリジリ音がするんだ」とやればいいだろうか。また、難しい外国語の哲学書を見せながら「ワケが分からない、これぞ哲学」とやったら、「それは哲学ではなく、哲学について書いた本じゃないの」といわれるだろう。

時間とか哲学と違って、ミカンはずっと分かりやすい。目の前に、取り出して見せることができる。ミカンを見たことがない遠い国の人に、ムシャムシャかじって見せて、「中はこんなです、甘くてうまいです」とやれば、きっと「ふ〜ん」と納得してもらえるだろう。

でも、考えてみると、ミカンだって不思議だ。今、目の前にあるミカンだけがミカンだろうか。果樹園やスーパーに行けば、他にもどっさりある。

それに——もし、日本中のミカンが全部消えた季節になっても、ミカンという言葉は残るだろう。冬、日本のどこに行っても桜は咲いていないのに、桜という美しい言葉が生き続けるように。

こうして、私たちの頭脳に入り込んだ言葉は、見たり聞いたりする経験の世界とは別物である。大きな川を挟んで、こちら岸が経験の世界、向こう岸は何か不思議な「観念の世界」。ミカンと時間は、まるで違うように見えるけれど、本当は両方ともこちら岸にはない。遠く離れた向こう岸にある。向こう岸の「別世界」とは、何だろう。学問の目は、そうした別世界の探求へと向かう。

2. 目には見えない真実

多くの人に読まれた『星の王子さま』という文学作品の中に、「大切なものは目に見えない」という言葉が出てくる。作品を書き残したサン・テグジュペリ(注11)は、第二次世界大戦中、小さな飛行機に郵便物を積んで、地中海の上空を駆ける夜間飛行のパイロットだった。夜空に無数の星がダイヤモンドのように煌めく。操縦席の前方には計器類がうっすらと光る。どこまでも広がったその夜空を滑りながら、無声映画のような静寂の中で、サン・テグジュペリは地上に暮らす人間について考え続けた。黙想の中で、この飛行家は「人は幸福を求めながら、実際の生活ではそのサカサマのことばかりやっている」と書き残している。大切なものは目に見えない。だから、人は大切なものを見失い、大切でないものを追いかけ回して地上世界で命を燃やしている。そう、彼はいいたかったのだろう。

人は言語を操る。書き言葉は目に見え、話し言葉は声となって耳に達する。しかし、言語は「観念」（抽象の世界）を表わしている。その観念が指し示す世界は、目には見えず耳には届かない。そこには、私たちにとって大切な、見逃してはならない真実が潜んでいるのだろう。

3. 拡大する未知の世界

厳しい夏の暑さをしのぐために、日本人は昔から打ち水をするとか、風鈴を軒下に吊るすなどの風習を守って来た。風鈴が鳴ると、人は一瞬涼が吹き抜けるのを感じ、顔を上げる。これは、チリンという音色によって風が吹いたことに気がつくからだという。風鈴の音色がないと、多少の風があっても涼を感じないのかも知れない。そこに「ある」のに気がつかない。風鈴に限らず、私たちの身の回りによくあることかも知れない。

ある日、友人が私にこんな話をした。「街の中に、お腹の大きな女性がたくさんいることが最近初めて分かった。妻が妊娠する前は全然気づかなかった。」この話は、人は自分に関心のない事には気がつかないことを教えている。「いる」のに気づかない。目の前を通っているのに見えない。見えない人にとっては、存在しないのと同じことになる。

「存在するのに人は気がつかない」ということを言い換えると、「人が気づかなくても存在するものがある」ことになる。こうして、人は多くのことに気づかず、見えず、やり過ごして暮らしているのだろう。私たちには、見えないものがたくさんある。

ポール・ナトルプは、「認識が発展して行くと今まで見えなかったものが見えてくる」と書いた[注12]。人は知らないことには気がつかない。知らないままでいる自分にも気がつかない。人にとって、「知らない」事柄は「存在しない」のと同じである。しかし、いったん知ると気がつく。「見えなかったものが見えてくる」とはそうした意味だ。

しかし、「気がつく」ことと「分かる」ということはまた違う。気がつくとは、何かが存在することを認識するということで、存在の姿、実相について分かったということではない。ナトルプはこう書いている。「……認識が発展して行くにつれて、分からないことは急拡大する。まるで球体の直径が伸びると、球体表面の面積が急拡大して行くのと同じだ。その拡大はいつまでも続く。」

こうしたナトルプの指摘と同じ趣旨を、アインシュタインは自然界を大きな謎物語に、科学者を探偵に譬えて、次のように述べている。「……宇宙を大きな謎物語と考えると、この中の謎はまだ解かれておりません。ついには解き得るものだと断言も出来ないのです。」[注13] 何かが見えて来ると、その背後に別な何かが謎として立ち現れる。彼は、それがいつまでも終わらない可能性を指摘している。

《第5節》知を獲得し与える

1. 知は公共財

知は獲得すれば、それで役目が終わるのではないと思う。それを他者に与えることに大切な意味があるのではないか。ホモ・サピエンスは好奇心に従う生き物である。だから、知を得るだけでも喜びを感じるだろう。しかし、その知は自分の脳に留(とど)めておくためのものだろうか。知は獲得して後、他者に対して分け与えるためにあるのではないか。ホモ・サピエンスが知の獲得に喜びを感じるのも、他者に伝達し集団の共有財産とすることが予定されているためではないか。公共財となれば、集団の可能性、生存能力を高めるだろう。こうして、知の獲得と集団への還元は密接に結びついていると思う。

2. ある学徒出陣兵――未完の思い

太平洋戦争の末期、昭和20年4月7日、沖縄に向かう世界最大の戦艦大和の艦橋に吉田満という若き海軍士官がいた(注14)。大和乗組の大半は10代、20代の若者である。彼は当時東京帝国大学の学生であったが、学徒出陣を命じられ乗り込んでいた。決死の出撃直前、吉田は艦長の有賀(あるが)に話しかけられる――「後悔はないか」彼は即座に答えた――「ありません」。しかし、艦長はもう一度聞く――「ほんとうにないのか」。吉田は沈黙して答えない。おそらく彼の心中を覆っていたのは「未完」の思いであっただろう。学問も未完、結婚する女性もいない、親となることもない、すべて未完。それなのに死期だけは確実に目前に迫った。

おそらく、吉田の未完の思いの中にはもう一つあったと思う。それは、大学を卒業して世の人のために働く、社会に貢献する、という機会を失ってしまうことに向けられた焦燥感、悔恨の情ではなかっただろうか。人は他者のために貢献できることに喜びを感じる。死はその機会を絶対的に奪い去ってしまう。それがこの若き出陣学徒の哀感であったのではないだろうか。

獲得した知は、他者に与えなければならない。知はそのためにあるものではないか。たとえ知を得てもそのやり場を失えば、人は必ず空白感を覚えるに違いない。

《第6節》好奇心と生存

1. 哺乳動物の特徴

ヒトは哺乳動物の仲間だが、一般に哺乳動物には共通の著しい特徴があるようだ。母体が子に密着して母乳を与える。大脳が発達、知能が高い。さらに、多くは群れを成して棲息する。こうした性質を持つためか、哺乳動物は次世代の子孫を教育するのに熱心だ。生活に必要な情報を仲間と交換、共有し続け、情報収集の能力を高めようとし、さらには集団で獲物を捕えるための能力を磨く。集団と個体の間に相互依存の関係を作り上げる狙いがあるようだ。

こうした特徴は、イルカやクジラの生態を見ればよく分かる。第二次世界大戦後、高度に発達した聴音装置を耳にあてがう潜水艦の乗組員は、謎の音響が海洋のあらゆる方向から無数に聴こえて来ることに驚愕したという。海中は四六時中そうした音響に溢れている。潜水艦がどこに移動しても聴こえてくる。後にこれは、クジラが仲間と情報を交換し合う通信音と判明する。潮流は海域や水深によって水温が異なり、同じ温度の海水は巨大な柱のように横たわり、異なる温度の柱と一緒になって、海洋の中に目には見えない巨大な構造物を造り出す。海中に気温の違いによる硬軟の物理体が出現するのである。音響はその屈折した構造物を伝播して行く。海水の柱ごとに音響の進む速度、方向は異なる。クジラはそうした構造の違いを利用して音響をはるか数千キロ隔たった仲間に伝えているという。クジラはもともと陸生動物であったが、陸上で生活する頃から岩石などの反対側にいる潜む獲物を音響の変化を利用して探り当てる能力を身に付けていた。その能力は水中でさらにその効果を発揮することを知って海中に向かったらしい。クジラはその能力の使い方を子孫に教育する。獲物を共同で捕獲することも多いので、それも教育しているのだろう。

こうしたクジラの生態は、知識の習得と生存がたしかにつながっていることを私たちに教える。人類もまた集団の構成員が獲得した知を共有し、それを相互に利用し合う関係において生存を維持している。

人の集団は、生存に関わる知識を蓄え効果的に次世代に伝播するために学校まで作り出した。現代社会は、学校制度を組織内部に固く打ち込んだ構造を成している。

2. 生存の意志

知は好奇心から始まる。しかし、その好奇心が生存の必要と無関係なものでないことはすでに述べた。養分を摂取し、環境変化を読み取って地上で生存を維持し続ける生き物が、自身の生存とは全く無関係な事柄に興味や関心を寄せることはあり得ない。

人類はホモ・ルーデンス（遊ぶ人）とも呼ばれるが、これは遊びを通して生存に有益な方法や手段などを想定、探知し、鍛錬しているのであろう。生存と遊びは直結している。そこに好奇心が発生するのだろう。

好奇心が生存の必要の背後に潜伏するものだとするなら、いかにも人は学ぶことに喜びと享楽を感じるはずである。なぜなら、学ぶことは生きることであるから。ここまで考えると、知的好奇心から得られる喜びについて語った朝永博士の言葉は、人間存在の奥底から流れ出したものであることが分かる。

《第7節》考えるヒント

考えるヒントを得る手がかりとして、以下に一つの問題を取り上げてみよう。物事を考察するためのテーマは、実は私たちの心の中にも生活の周辺にも溢れている。目をめぐらせて考えれば、すぐに見出すことができるだろう。

ここでは、非婚化と少子化を取り上げ自然界との関係を考察して考えてみよう。

〈非婚化、少子化は自然の意志？〉

人の心や社会の動きは、自然界の営みとは違うものであろうか。西洋では二つは別の世界とされ、原理的に異なったものと考えられてきた（二元論）。しかし、人間界と自然界が原理的に異質な世界だというのは本当だろうか。木々の枝や葉は風に吹かれて揺れる。その動きと、地球上を動く人々の移動など、社会の中で起こる揺らぎの現象は全く違ったものなのだろうか。

ここに社会と自然の密接な関係を示す事例をいくつか書き出してみよう。

どこかの警察署で、交通事件を担当する警察官が「交通事故は満月の日に多い気がする」と同僚にいったところ、「そんなバカなことがあるわけないだろう」といわれた。ところが、データを調べると、事実はそうなっていたという。

西洋では長く、人が月から発する霊気に当たると気が狂うと信じられていた。満月の夜に男が狼に豹変する物語もある。英語のLUNA（月の女神）から派生したLUNATICが「狂人」を意味するのも、これに関係があるらしい。月の引力で引き起こされるのが海潮の干満だが、老衰死は干潮、分娩は満潮の時が多いという。

以前、『ジュラシック・パーク』というハリウッド映画が人気を集めた。この映画は、遺伝子操作によって恐竜を現代に復活させるというストーリーだが、映画の冒頭、ティラノザウルスのメスだけを森に放つと一部がオス化するという話が出て来る。この映画は荒唐無稽に製作されたものではなく、科学者たちの最新の知見を踏まえて作られたものだという。森の中で性別転換が起こるという話が事実なら、これは恐竜の生命が個体間で相互に独立したものではなく、集合体＝種として結合したものであることを示していると思う。

人間の男女の場合、結婚は自由意思で成立し、子供の数もパートナーと相談して決めるはずだが、社会全体でみると新生児の男女比は一定である。各人は自由意思で行動しているはずなのに、全体では整合性にたどり着く。これは、人間の生命が個体別にバラバラに営まれているのではなく、種として連結していることを示しているのではないだろうか。

こうした現象を踏まえると、人と自然の関係について考え方を転換する必要はないだろうか。人（と社会）を自然界の一部と考え、人と自然はその表面的な違いにも関わらず、同一の現象と考えることができないだろうか。そうした考え方で社会現象を考察すると、その現象の背後にある原因や理由が違った姿に見えてくることがある。例えば、最近日本では若者が恋愛や結婚を望まない、結婚しても子供を欲しがらない例が増えているといわれる。これは、単に若者個々人の生活意識や好みの変化を示す現象なのであろうか。この疑問は、非婚化・晩婚化・少子化の現象を若者の個人的な趣向、社会的・文化的な様式変化の視点だけで捉えていいかという問いかけである。表現を換えれば、若者の間に広がったこうした傾向の背後に、自然界から届けられたメッセージが潜んでいるのではないか。

著者は、若者の非婚化の現象と自然界の間に関連性を読み取ることができると感じている。それは、生命を培養するための地球環境の著しい変化である。子供たちを生み育む生命維持装置としての地球は、何かが狂い、壊れてきているのではないか。それを人類は種のレベルで感知し、若者は自ら意識化しないまま、それに対応した行動をとっている可能性がある。一人ひとりは自由な選択をしたつもりでも、その背後に自然界の大きな力が作用する。見えない力が若者たちの意識に作用し、若者はそれに即した行動をとる。もしそれが本当だとすれば、若者の非婚の決断を誰も責めることはできない。すべては自然界の思し召し。人は透明な力に束縛されて生きている。

《第8節》知の基本的な特徴

1. 知は拡散する

一個しかないケーキを妹が食べてしまったら、姉は食べられない。北方領土はロシアが強奪したために、日本は占有を失った。こうした、「あっち立てればこっち立たず」の関係をゼロ・サム・ゲームという。両者合わせれば差引ゼロになる関係だ。

世の中は、大体がゼロ・サム・ゲームで成り立っているが、そうでない場合もある。相場が1000万円の土地をAがBに1200万円で売れば、Aは200万円得をし、その反対にBは200万円を損したように見える。しかし、次にCが現れてBから不動産を1400万円で買い取れば、Bにも損はない。経済が活況を呈する局面では、取引当事者の全員が利益を得る場面が出現する。逆に、不況の局面では、当事者の全てが損失を受ける。こうして、経済上の状況によってゼロ・サムは当てはまらない場合がある。

ところで、ゼロ・サム・ゲームが全く当てはまらない世界がある。それは知の世界である。先生が多数の学生を相手に講義をすると、それは知の分配（！）だが、先生がどんなに大量に分配しても、先生が保有する知識量は減らない。配給した分、減少するということがない。逆に、先生は講義の途中、以前気づかなかった何かに気づいて知識の質や内容が豊かになることもあるだろう。教えることは学ぶことだといいうのはそれを指している。知は、分配によって失われるものではない。そこにゼロ・サム・ゲームは当てはまらない。知は他者に与えられて拡散し、さらに発展し続けるだろう。これは、知の固有の性質であり、宇宙的な生成の原理とも無関係ではないように思える。

2．認識の統一

学問は、知の体系化のために行われる営みである。その体系化のためには〈認識の統一〉が不可欠である。では、認識の統一とは何か。人が周辺世界を見つめ、理解しようとする場合、そこに存在する様々な物事をバラバラで無関係なものとして扱ったらどうなるだろうか。認識の過程に分裂と分断を持ち込めば、周辺世界は総合的に理解することができない。総合的とは、様々な物事の間に関連性を見出し、相互に関係づけ、秩序立てて理解することをいう。それは世界、自然を一つの対象として扱うことを意味する。

学問は、知の体系化のために認識の統一に向かい進んで来た。もし誰かが男女を別な生き物として分類するようなことを始めたら、その学問的価値を疑われるだろう。それは、知の発展に逆行し、明らかに非生産的で不毛な営みと判断されるに違いない。

長く西洋の学問の歴史において、二元化されて来た社会と自然、さらには精神と物質の分類も今後さらなる知の発展により、やがては統一される方向にあるものと確信する。

知の体系化は、人の認識の統一を手段として行われる。認識の統一がなければ知の体系化は達成できない。こうして、認識の統一は学問の根源的要請であることが分かる。

3. 不二（ふに）の思想

(1) 不二とは

仏教には「不二」と呼ばれる思想がある。主に大乗仏教によって説かれる。これは、相対立して見える二つのものが実は対立せず、区別されてはならないという思想である。これによって、生死、善悪、心と物は不二の対象となる。世界を生命と物質、精神と物質を分断する西洋二元論も不二の思想によれば見直されるべき思想となる。

西洋哲学は、何かを対象として考察する場合、対象をひたすらに他から区別しようと努める。こうした考察方法は、物事を切り刻むことを意味する。または、強力なライトを当て、対象を闇から浮き上がらせることだといってもよい。しかし、光が強力であればあるほど、一つの対象は鮮明になるだろうが、それを取り囲む他の物は眩しい光のために見えなくなるに違いない。それによって対象の真の姿は見失われ、真実は捕捉できなくなるのではないか。西洋哲学の認識方法は区別の思想に立つ。

(2) 稀有の知恵

不二の思想は、存在と宇宙を分裂、分断する思想は誤りであると考える。種としての人類は脈々と生存の営みを続ける。宇宙もまた、天体の運行を見ると、整然たる秩序に従い法則に即して営みをたゆみなく続けている。その人類と宇宙天体は、一つに融合し巨大な宇宙大河のように流れ下っているのではないだろうか。現象世界において二元的に見えるものの根源が、根底において相即し一つであると説くのが不二の思想である。

人と宇宙の考察において、そこに原理的な分裂を持ち込むことには深い疑問を抱かざるを得ない。西洋の伝統思想は、精神と物質を分裂、分断した上で人と宇宙を説明しようとするが、そこには原理的な限界が見えるのではないだろうか。

《第9節》個人的な回想

1. 消えない疑問

「人は自然物の一部ではないのか」「人は当たり前のように、自分たちを動物や自然物とは違うと考えているが、それは本当だろうか」それが、若者の頃から著者の心を捕えて放さない疑問であった。

人間が歴史の中で培養して来た思想――主に西洋で培養されたものであるが――は、「人類は自然物などではない」というものであった。現代においても圧倒的大多数の人々が、これに同意するだろう。―人は自由な存在で、それ以外の生き物に自由はない。あるのは本能だけだ。物質が生き物と違うのはあまりに当然のことで説明もいらない。――そう考える。しかし、本当にそれは正しいのだろうか。

人も動物も生き物はすべて、広大な宇宙を埋め尽くす物質によって作り出されたものだ。物質が生命とは異質なものだとすれば、ではなぜ生命を生み出すことができたのであろうか。ゼロはいくら足してもゼロにしかならないはずである。

物質はもともと、生命と同質なものを秘めているのではないか。汎神論という考え方があるが、これは宇宙自体を神と考える。汎神論の立場に立つと、人類もまた神になるだろう。それだけではない。この考えによれば、宇宙の万物一切、つまり物質もまた神となる。大乗仏教はそうした思想に近接した思想である。

2. 生き物の不思議

渡り鳥は季節がめぐると、飛来し巣作りをして雛鳥を産み育てる。それが済むと、雛を連れ、仲間と集団を組んで大洋の上を長駆はるか彼方へ飛翔して行く。翌年、また同じように飛来し、それを繰り返す。渡り鳥に人間が使う暦や時計はないが、そんなものはなくても時のめぐりを確かに感知しながら棲息している。また、人のように飛行機を作ることはないが、そもそも鳥には飛翔能力があるので飛行機などは必要がない。人は飛翔できないから飛行機を作ったのだろう。渡り鳥に限らず、動物は人が到底及ばない、驚異の能力を身に付けている。

無人島に漂着した人々の記録を読むと、動物の能力がいかに驚異的で驚嘆すべきものであるかを知ることができる。例えば、吉村昭の『漂流』は江戸時代、船が嵐に襲われ、八丈島南方の無人島に流れ着いた人の実体験を記したものだが、主人公の男は11年間、島の周辺に生きるアホウドリやトビウオ、クジラの生態を眺め暮して人の無力を痛感する。人は身を寄せ合って集団を組めば、各々の能力を持ち寄り、補完し合って生活を成り立たせることができる。集団が大きくなるほど、集団内部の多様な需要を支えるための仕組みは精緻化し、強靭で巨大な力を発揮する。しかし、孤島に捨て置かれた人一人は無力で、風に揺れる草花よりも儚い存在である。社会とは人が補強し合って相互の生存を成り立たせるための仕組みで、孤立すると持ち合わせたはずの能力を活かす機会も失ってしまう。

それにもかかわらず、人は自身を動物よりも優れた存在だと確信したがる。各人の能力に限界はあっても、「人は相互に支え合う仕組みを編み出す点で賢い」という人もあるだろう。しかし、現代世界には戦争や飢餓、貧困さらには環境破壊などの問題が溢れ、人類は問題の深刻さを認識しながらも解決しようとはせず、できないままである。果たしてそれで賢いといえるのだろうか。むしろ、明白に愚かなのではあるまいか。目の前の欲望に忠実なあまり、目が眩(くら)んでいるのであろう。

人は人工物に囲まれ、都市化によって獲得した至便の生活を自慢する。動物を見下し、自身が動物であることをさえ忘れてしまった。領分を守り、謙虚に生きる動物に比べ、人は領分を知らない。身の程知らずな行動を支えるのは無尽蔵の欲望である。あくなき欲望は、環境も自然もあらゆる領域を侵犯し独占し、欲望の赴くままに操ろうとする。国家主権もまた、領土を分断し壁を設置しなければ際限もなく侵入を繰り返すに違いない人類の本性が作り出したものなのだろう。領分を知らないという意味において、人類はその存在自体が核兵器並みに危険な存在となってしまったのではないだろうか。

3. 物質の不思議

「生命はどのように誕生したか」。書物やテレビ番組でよく取り上げられるテーマである。このテーマは、議論の入り口でよく整理して取り組まなければいけない問題だと思う。それは、生命と物質の関係である。

生命の根源を物質と考えるのか、それとも物質以外と考えるのか。前者の考え方だと生命は物質と質的に連続するが、後者の考え方だと異質となり、では何が生命を生んだのかが問題となる。神、絶対者だという人もある。しかし、これだと、動物の生態をすべて本能で片付けるのと同じである。絶対無欠の神を持ち出すのでは思考停止に至るのではないだろうか。

この問題について、著者自身は物質自体が生命であるという考え方に魅力を感じる。物は生きている。すでに仏教が到達した考え方である。

現代医学では、新型コロナを含めウイルスは物質に分類されている。しかし、ウイルスはひたすらに個体をコピーし、条件次第で驚異的な勢いで増殖を続ける。こうした現象は限りなく生命に近い。もともと物質と生命は学問的に分断できるのだろうか。西洋の伝統思想（二元論）は、物質と生命を分断し、ウイルスという限界的な存在を物質に分類した。つまりウイルスの分類の問題は、二元論の問題と連動しているので、ウイルス物質論に異議を唱えることは二元論に異議を唱えることになる。もしウイルスを生命と規定すれば、物質と生命は一元化し、やがて二元論の崩壊に至るのではないか。その場合、物質と生命は融合、一元化する。物質は生命の根源であるという考え方に著者は深く共鳴する。

4. 天と一体化した自我

人は、自身に自由意志があると固く信じている。一方、宇宙は天の法則に従って運行されていると考える。しかし、人は宇宙に存在するのであるから、人類だけが天の法則を免れるなど、あり得るのだろうか。

古代インドのウパニシャッド哲学[注15]は、天と人の関係をめぐる問題に真正面から挑みかかった。哲人たちは、考察を経て宇宙我と個人我は同一のものだという思想を導き出す（「梵我一如」）。そこにおいて、人は宇宙と一体化する。それは人が神であることを意味する。人は神であることが発見された。この思想は、現代世界ではもはや主流の考え方ではない。しかし、華厳経、禅宗、陽明学、ライプニッツ、ショウペンハウアーなどに脈々と受け継がれ現代に生き続けている思想である。

5. 己の姿を鏡に映す

現代人は、人と宇宙の関係について考察を放棄し、放棄したことも忘却して生きている。自身の姿を顧みない理由として、人は地上の生業（なりわい）の多忙を挙げる。それはあたかも自分の氏名、住所を失念し、その言い訳に日々の多忙を挙げるようなものである。せめて地上における自身の立ち位置を思うべきではないかと思う。人類は今立ち止まり、深呼吸をする必要があるのではないだろうか。

己の姿を鏡に映す。それが、地球の危機が迫り生存の不安が高まりつつある今日、私たちに求められていることではないだろうか。

《第２章》

学問の原点

論理的なものの由来。――人間の頭のなかに論理が発生したのはどこからであるか？　それは、もともとその領野がおそるべきほどに広大だったにちがいない非論理から由来したことは確かだ。

―― ニーチェ

《第1節》無知の存在

1. 失見当識（しつけんとうしき）

もし、ここに一人の人間があって、周りの人たちに「私は誰？」と聞き、さらに「ここはどこ？」「季節はいつ？」などの質問を繰り返したとしたら、それは精神の異常者か幼児に違いない。しかし、一人の人間であれば知的レベルを疑われるのに、人類全体の話となると、様相は一変する。

時間や場所など、人を取り巻く状況を認識する能力を「見当感」又は「見当識」という。自分の立ち位置をおおよそ理解できる能力といってもよい。医師は認知症のチェックをする際に「今日は何日ですか？」と尋ねるそうだが、これは見当識の確認である。

人類はこの見当識をその根底から喪失した存在である（失見当識）。自身の正体を知らず、どこから来てどこに向かっているのかも全く分からない。私たちは、人間と宇宙との関係を測り兼ね、太古から人生の意味を自問し続けながら、今もその答えを得ることができない。見当識は、記憶と思考が〈日常性〉の中になければ機能しないはずだが、人類は自身の立ち位置に関しては〈日常性〉を決定的に欠いている。

私たち人間は、宇宙という空間と時間に圧倒されながら、理由も根拠も

星雲の不思議——NASA 撮影

不明なまま地上に立ち尽くしている。その姿は、暴風に曝されて揺れる草木のようなものだ。人は小さく儚い。私たちは無知の存在である。

2. 無明長夜

仏教では、真理を知らぬままの人の姿を「無明(むみょう)」という。無明を闇の長夜(ぢょうや)に譬えて「無明長夜」ということもある。人は地上に生まれ落ちた、その日から「無明長夜」の底に立っている。

3. 極小の存在

人類が不安の中に揺れ動き、見当識を喪失した状態にあるのはなぜであろう。それには、人がその感覚で捕捉できる領域が広大な物質世界の極小の一部でしかないことと関係があるように思われる。その一部とは限りなく無(ゼロ)に近いであろう。

人類は、広大な宇宙のあまりにも微小な部分しか視ていない。それは譬(たと)えるなら、大海原の波間に浮かんでたゆみなく揺れる小さな木の葉の中に巣食った虫が、その裂け目から外洋を覗き込むようなものに違いない。

現代の自然科学は、人の身長を1〜2メートルとして、その〈10億×10億×10億〉倍の大きさを持つ宇宙から、〈10億×10億〉分の1しかない極小の物質世界までを探求している(注1)。それは、人間の頭上はるか遠くの星空から、目には見えない素粒子の世界に至るまで涯(はて)しのない謎の世界が広がっていることを意味する。謎をめぐる探求の作業は、人類の歴史とともに進み、解明される領域は少しずつ広がって行くであろう。しかし、解明された科学的真実と私たちの日常感覚の間には常に落差がある。科学が観測領域を拡大しても、人の生活感覚がそれに追い付くかどうかは別の問題である。やがて追い付くとしても、それには相当な時間を要するかも知れないし、追い付いても、その時に科学はさらに先を行っているだろう。

4. 人は考える草木

人は風に揺れる草木のような、儚く小さな存在だが、考える力を持つ。フランスの哲学者パスカルは、人間がとてつもない知力を持つことをいい表して「人間は広大な宇宙に包まれている。しかし、人間の考える力はその宇宙を包み込むことができる。」と書いた。

「とてつもない能力」を支えるために、言語が大きな役割を果たしてい

吹き抜ける緑の風＝GRACE工房写真集

るのは間違いない。人は言語を生み出し、その言語を操って思考し、存在と宇宙をめぐる知の営みを進行させてきた。言語と観念は、目には見えない世界を縦横に動き回る。言語なしに知は成立しないし、観念の論理体系を組み立てることもできない。言語が人類の知を飛躍させたことは間違いないだろう。しかし、それと同時に、人類が可能性豊かな言語を生み出す力を持っていた以上、言語以前にすでに高度な知的能力を蓄えていた可能性も否定できない。

パスカルは「人は宇宙に包まれているが、人の思考は宇宙を包む」と述べた。これは、言語が包摂し、到達する範囲が経験の世界にとどまらないこと、さらには見たことのない、果てしもなく遠い宇宙にまで達する力を秘めていることを教える。人の住む地上世界を「此岸」というなら、言語の持つ、とてつもない力は私たちを向こう側の「彼岸」に導いてくれる。

《第2節》知の探求へ

1. 現象と原理

私たちが日常の中で触れる事物、現象はばらばらに見える。しかし、実はその背後、奥底では全てが結びついているのではないか。こうした考え方を「隠れた調和（open secret)」と呼ぶ。古代ギリシャのヘラクレイトスが唱えた(注2)。断片から原理と根源を追求するのが知の原点である。そこから哲学と学問が始まる。

私たちの身の回りには、宇宙や社会の根本原理と結びついた出来事が毎日無数に起こっている。目に見える断片の現象と普遍的な根本原理はつながっている。それはまるで、おびただしい数の木の葉が例外なく地中の根元、さらには大地にしっかりとつながり係留されているようなものだ。いま枝葉と根元・大地がつながっていると書いたが、どのようにつながっているか、そのつながり方に思いをめぐらせるのが《考える》ということかも知れない。

2. 事例から考えよう

(1) 新型コロナ

現象と根本原理の関係を考察するために、新型コロナを取り上げよう。新型コロナは人類に深刻な災いをもたらしたが、コロナはなぜ人類を襲うのか。何事も存在には理由があるはずで、コロナの存在を追求して行くと、生物さらには人類が地上に生存する理由にまでたどり着くのではないか。人類を含め生き物は全て、コロナと同様、生命をコピーし営々と増殖活動を続ける。つまり、「コロナはなぜ存在するのか」との疑問は、「人類はなぜ生存するのか」という問いかけと同じものではないだろうか。

コロナに関しては、もう一つ考察すべき点があるように思う。それは、現代医学においてコロナは細菌と違い細胞はないため生き物ではなく、物質とされる点である。しかし、その物質は限りなく生き物に類似していないだろうか。自己保存のために人の抗体と闘い、自己と同一形態の個体をひたすらに増殖させる。人類が総力を挙げて構築した防疫体制を打破しようと、変異株を次々と送り出す。そこでは、両軍に分かれて生存を争う熾烈な戦争が行われ、双方がお互いに敵情を探る情報戦を展開している。ウイルスは物質で生き物ではないといっても、すでにその物質が生命活動を営んでいるのではないか。そうだとすれば、宇宙を埋め尽くす物質も生き物と同じように、定められた法則に従い目的と方向性に沿って存在している可能性がある。もはや、コロナが物質か生き物かの問題ではない。コロナは、物質が生き物と同じ性質を備えた存在であることを人類に明確に指し示しているのではないか。つまり、物質は生命と異なる死の世界ではなく、すでにそれ自体が生命と同質の能力を秘めた存在ではないか。

コロナを含めウイルスを物質に分類し、生き物から切り離すのは西洋の伝統思想に関係がある。長く西洋で発展した思想は、物質と生命を別な原理に従うものと考えて区別し、それを基礎として自然界の成り立ちを説明する。この世界に存在するものを、生命と物質に完全分離しようとするために、万物はそのいずれかに分類される。ウイルスのように両者の中間にある限界的な存在の場合は、まず生き物の概念を定め、それから外れるという理由で物質に分類される。しかし、そうした分離に無理はないであろうか。物質は生命ではない、生命は物質でないという二元論はウイルスの解釈において破綻していないか。二元論は原理なので、個別の多くの物事の解釈に影響を与える。私たちは一度立ち止まって、この二元論を考え直す必要があるのはないかと思う。

なお、物質と生命（さらには精神）の分離はキリスト教に由来するといわれる。キリスト教は一神教であるが、西洋思想の源流とされるギリシャ世界（＝Hellenism）は多神教である。現代においても、西洋は一神教と断定して語られることが多いが、そのような断定に誤りはないのだろうか。ことに、ウイルスや物質論など限界的な問題を扱う場合、西洋の思想だからといって、キリスト教的な二元論に立つことに必然性はあるのであろうか。こうした点も、考察しておく必要があると思う。

(2) 人と自由意志

断片と根源の関係とは、つまり周辺の現象と根本原理の関係である。個と一般の関係といい換えてもよい。これについて考えるために、その事例として、人は自由意志を持つかという問題もある。私たちの多くは、自分の意志の決定に従って自由に行動していると思っている。しかし、人類が他の動物や物とは全く異なり、必然のルールから遁れて、自由に行動できるなどあり得ることなのだろうか。人類は自然界に包摂された存在である。

ひょっとしたら、意識のスクリーンに映し出された因果の流れを中枢神経が後追いし、それによって行動の自由があると思い込んでいるだけではないのか。もしそうだとするなら、自由は幻想に過ぎない。私たちは行動を制御しているのではなく、むしろ逆に制御されているのではないだろうか。

大きな法則の中で小さな私たちが動く。男女のカップルが自由に相手を選び子供の数も決めているのに、誕生する子供の男女比は世代毎にほぼ一定である。自由は必然に溶け込んでいる。二つは見た目こそ違うが、本当は同じものの裏表ではないだろうか。

《第3節》知の源流

1．永遠に向かう衝動

人は永遠に憧れる。なぜ憧れ、追い求めようとするのだろうか。おそらく、人の生命が淡く儚(はかな)いためであろう。この世に生まれ落ちた以上、人は死を遁れることができない。人という存在は宿命とともにある。夜空を行く月の輝きは、雲間から見えたと思うその瞬間、再び雲の闇に失われて行く。人の生命もまたその光の瞬きと変わるところがない。あるいは、川の流れに浮かんではすぐに消える水泡のようなものかも知れない。人はその儚い生涯の間、やむことなく艱難辛苦に襲われるだろう。そうした苦しみの中で、古来、現世に目をつむって来世に夢を託したいと願うのは人の悲しい宿命である。

永遠は天国、浄土、桃源と言い換えることもできる。永遠を時間の流れと考える人もあるが、人が夢見る永遠は平安、安らぎの感覚と一体である。それは精神的な境地、理想郷であって、時間の幅の問題ではないと思う。

そこには、病苦も寒暑も家族を失う悲嘆もない。しかし、もし苦痛も涙も、絶望もないとするなら、そこは死の世界である。人々の切ない願望にもかかわらず、永遠とは死の世界のことではないだろうか。永遠の救済を約束する宗教は、「死によって平安が来る」と諭しているように思える。

そう考えると、永遠世界には生命の息吹がないように思える。しかし、死を生命感の失われた冷たい世界と考える必要はないと思う。死によって人は地上に立っていた時の姿や形を失い、素粒子の世界に立ち還って行くとしても、その物質がすでに豊かな生命を湛えたものであるとするなら、死は次の生命に向かう転機に他ならない。それは悲しみではなく、再生の希望であると思う。

2. 知の過程

(1) 認識と実体化

太古のアフリカで、木から降りて地上を歩み始めたその初めから、人間は空想の世界に遊ぶ存在であった。木々がその樹皮に表れ出た表情を動かしながら語る声を聞き、森のあちこちに木の精霊や木霊(こだま)が自由に飛び回る姿を見た。

やがて目に映る地上世界と天高くそびえる宇宙を舞台に、人々は神々を創り出す。こうした空想はさらに発展し、目には見えない〈何か〉を目に見える〈何か〉に置き換える習性を身に付ける。流星が煌めく夜空を横切れば、それは人が死ぬ前兆、日食月食は天変地異の前触れとなった。観念を現象に転化する習性といってもよい。社会と自然は一体化し、人の世の吉凶や善悪は天空のスクリーンに映し出されるものとなった。さまざまに変化する現象の背後に何かが隠れているという物の見方を、〈実体化〉と呼ぶ。夜空を行く流星は死の影つまり死の実体化であった(注3)。太古以来、人々はあらゆる物事について実体化を試みて来た。実体化とは、人が意識過程で抽象や観念を具体化することだ。分かりやすく捕捉するのに便利だから、ホモ・サピエンスはこの実体化をよく用いた。事実、人の知は抽象と観念を実体化することにより獲得されたものが大半ではなかったか。その一方、実体化はその分かりやすさと裏腹に誤謬と識別できない危険を伴う。ただの空想が生み出し、実は何もないところに、実体の映像が投影し居座り続け、人類の脳を支配した例は少なくない。神、悪魔、霊魂がそうした例ではないと断定できるだろうか。

(2) 実体化と言語

人が周辺世界の認識において、事物を言語に変換した活動がすでに実体化の過程を示している。西洋言語の多くが名詞に性別を設けているが、これは実体化の意識作用を見事に反映したものだと思う。なぜなら、人々はそこで事物の背後に男女別を示す表徴を見ており、言語はそうした空想の産物と考えられるからである。

(3) 絶対と永遠

事物の実体化を追い求める人間の意識傾向は、絶対化と永遠の追求と結びついていると思う。なぜなら、周辺の現象が流転、転変しても、いやそうであるからこそ、その背後には不変の核心、絶対の真像が隠れているという確信がそこに認められるからである。人間は、太古以来感覚に迫って来る現象の背後には不変の核心が潜み、現象はそうした不変に支えられていると信じて来た。だからこそ人々は、現象と真像という二重構造によって世界の姿を理解し世界像を成立させたのである。そこにはおそらく、滅びたくない、永遠の生命を得たいという人々の願望が隠れている。こうして、実体化とは流転する事象を超えたところに転変しない別者を作り出そうとする作用のことである。それは、流水とは別に川の概念を作り出した人々の心の動きと同じである。言語化と永遠、絶対などの観念は相互に結びついたものであると思う。

こうして実体化は、人々の精神の奥深くに打ち込まれた根強い認識傾向から派生したものだ。それは生への衝動、執着と一体化した活動であるために、時に自然界の冷静な認識を妨げる作用を及ぼす。科学が物事の虚像を暴いて真の姿を映し出す役割を担うのだとすれば、やがて科学は太古以来の人類の原初的衝動が精神の内奥に刻印し続けた巨大な虚像を暴き浮かび上がらせるだろう。

3. 知の構造

(1) 永遠と宗教

宗教は、例外なく当たり前のように永遠世界を説く。それは、地上世界で苦難の日々を送る人々に救済を約束し、信仰を獲得するためである。そこで語られる永遠世界は、地上世界の修羅場をそっくり裏返しにしたものである。しかし、人々がどれほど求めても、永遠は経験世界にはないだろう。永遠は人間の切ない願望が生み出した蜃気楼、幻である。

《ない》ものを信じるのが宗教で、《ない》からこそそれを支える信仰が必要となるのであろう。学問は《ある》《あるはず》のものを追求し続ける。《ない》と分かれば追求を已める。

(2) 永遠と学問

宗教だけではなく、学問にもまた永遠の希求から起こったものがある。事実、歴史を辿ると、仏教、イスラム教、キリスト教など、宗教が内部に学問研究を抱えながら発展した例は少なくない。しかし、目の前に広がった経験世界とは別に絶対世界を想定し、その二重構造を前提として行われる学問とは何であろう(注4)。真実が一つであるなら、それを追求する学問もまた一つでなければならない。地上とは異なる永遠世界の真実を想定し、地上世界を永遠世界の影絵のように扱うことにどんな根拠があるのだろう。もし学問や哲学が二つあるというのなら、その二つは一体どんな関係にあるのだろうか。

対象を見つめる「学問の目」(認識方法)は一つでなければならない。そうだとすると、その認識方法に捕らえられた対象も一つでなければならない(認識の統一)。経験世界(存在世界)を超える〈何か〉を土台にした〈目〉は学問の視点ではない。それはありもしない幻想ではないだろうか。

二元論は、世界認識を分裂させる考え方である。学問が真理の追求である限り、認識の統一は学問の根源的要請である。こうして、二元論は学問上の統一認識の要請という観点からも問題がある。

4. 存在と言語

哲学者の中に「言語があるから存在がある。言語がなければ存在はない。」という考え方の人々がいる。これに対しては、「それは順序が逆ではないか」「まず存在があり、言語はそれを指し示すものではないのか」という人が多いだろう。桜が大地に立ち咲き誇るから、つまり先に桜が存在するから桜という言葉も生まれるのだから、言葉が先にあるから桜が存在すると説くのは変な話だ。しかし、「何か」が存在しても、人に認識されるためには人に届かなければならない。「何か」は翻訳されて感覚に入力されて人に届く。「何か」は入力もないのに、それ自体で直接に人に認識されることはない。「何か」は変換されなければならない。変換されて観念になる。認識には観念の媒介、仲立ちが必要だ。その観念又は観念世界を造り出すのが言語である。言語の優位を説く哲学者たちはそう考える。観念、言語によって人は初めてその「何か」を捕えることができる。それを認識という。

「言語がなくたって存在はある」という考え方は分かりやすく、多くの人に支持される。しかし、その考え方は説明のできない壁に行き当たる。例えば、「無」は言語がなくても成立するのだろうか。自由、魂、自我、永遠さらには神や悪魔なども同じだ。これらは「言語があるから観念が成立する」という思想の真髄を教えている。

人類が世界に対して抱く観念や命題、判断は言語によって加工された《虚構》にすぎないという考え方がある(注5)。人の経験を超えた存在を捕捉することは難しい。どう検証するかも困難だと思う。もし虚構だとすれば、それは存在ではなく「真理であるかのように」標榜した思想だということになるだろう。

《第4節》物語の誕生

1. 生存の不安

19世紀フランスの画家ゴーギャン（注6）は、タヒチ島に渡ってそこに暮らす人々の生活を原色画の中に奔放に描いた。彼の作品は平面的な彩色、太い輪郭線のものが多く、その視線の向こう側には、おそらく古代の人々の暮らしぶりが見えていたのだろう。作品の一つに《我々はどこから来たか　我々は何者であるか　我々はどこに行くか》という題が付いている。ゴーギャンには人類が「失見当識の存在」であるとの確信があったと思う。

失見当識のまま地上に生存し続ける人類は、人と宇宙の根源を説明する「物語」を求めるようになった。ホモ・サピエンスは、説明のつかない世界に立ち続ける不安と焦燥に耐えられない。太古以来これまでもそうであったし、これからもそうであり続けるだろう。

物語とは、宇宙の成り立ちと由来、さらには人類の存在の意味を説明するストーリー、筋書きである。物語は神話から始まった。神話には、それを生み出した当時の人々が人と世界をどう見ていたかが映し出されている。物語はやがて人知の発展とともに宗教、学問、哲学、科学、思想などの知の産物となって形を整え、時の移り変わりとともにその姿は精緻化、細分化して行く。人類が紡いできた多様な物語の生成、発展である。絵画や音楽なども、人類の創世を描いたものだけではなく、日常の風景をスケッチしたものでさえ、世界が創作者の目にどう映ったかを切り取った物語といってよい。音楽の場合、音曲を通して人の情感に訴えかける。作曲者は、聴く者に同意を求めている。同意は感動の喚起によって示されるだろう。もっとも古代の音楽には、支配者の権力を正当化し賛美するためのものが数多くあっただろう。文字文化もまた同じである。日本の万葉集の中にも、権力機構の正当化と儀典の賛美のために生み出された歌は少なくない。こうしたものも含め、物語は作り出す者、受け入れる者双方の参加により描かれた世界の姿である。そこには、地上に生まれ死んで行った人々の視線と祈りが示されている。今、「死んで行った人々」と書いたが、人類は太古に近づくほど、死者を思い死者の視線を採り入れた物語を作っていたように感じる。死者は常に生者より圧倒的に多数であり、生者の観念世界を支配し続けた存在であった。

人類が自身と宇宙の物語をやむことなく紡ぎ続けた背景には、その原動力として、自身の存在証明を残したいという衝動、欲求があるのだろう。地上に足を踏み入れた生命体としての承認要求といってよいかも知れない。ラスコーやアルタミラの洞窟壁画はそれを示していないだろうか。承認要求は、生存の儚さを思う悲哀と一体のものかも知れない。

こうして、物語の創作は人類の存在証明、承認要求の欲望に結びついていると思う。知に強い関心を寄せ、その獲得に喜びを感じるのは、それが生存の必要に関わるほどの意味があったのだろう。そればかりではない。やがて人類は、人知が編み出した物語の集積、伝播のために教育や研究の施設＝学校・大学まで設立するようになった。そこに、ホモ・サピエンスが知を愛してやまない姿が現れている。

2. 実存の孤独

人は、一人ひとりが別々に生を享け、孤独に生き、死んで行く。百万人の人間存在に共通する《本質》《核心》といったものはあるのだろうか。さらにまた、そうした《本質》《核心》とは別に、地上に存在し実際に生きる人が持つ独自の様相といったものはあるのだろうか。西洋中世のキリスト教学は《本質》とそれに対立する《現実存在》の二つを考え出した[注7]。後世に生まれた「実存（主義）」という言葉は、そうした区分に従って造られたものだ。実存とは、地上に生きる人間の現実の姿を映し出した表現だ。

人は、おそらく人類という種の中に埋没するだけの存在ではない。断崖絶壁の上で強風に吹き付けられながら、なお風に向かって立ち続ける人のように、一人ひとりの人間はその人だけの、独自の条件の中に生存している。断崖絶壁の形状は人によってすべて異なる。その意味で、一人の人間は常に人類の最前線に置かれ、他の誰も体験したことのない条件に曝されている。そうした人間の姿を《実存》と呼ぶことができるだろう。

百万人に一人の難病に罹患し、闘病を続ける人々がある。生まれながら光を知らない子供たちがいる。こうした例は、私たちが実存として固有の条件下に地上世界に耐え忍び、生き続けることの意味を教えていると思う。

人知とは、実存が自身の意味を問い、追求しながら地上に立ち続ける中で、脳によって営まれ獲得された成果である。それは、やむことのない生命の航跡である。

《第5節》知の発展

1. 世界観の成立

(1) 世界観とは何か

人類ははるか太古から地上と天空を見つめ、自身の周辺環境を探って来た。山と川、樹木、太陽と月、星空。やがて人々の間に、太陽とはこういうものだ、山とはこういうものだ、というイメージや想念が形成される。こうして形成された成果が観念であろう。観念の形成は、カメラの焦点を絞り込むことによって被写体の像を結ぶようなものだ。観念はさらに言語的、知的に発展し組み立てられて行く。それをここでは概念と呼ぼう。

観念や概念が人々の頭の中に根づくと、そうした脳内の抽象物は寄り集まって集合し、生活圏をめぐる〈大きな解釈〉を生み出す。それが世界観であろう。ホモ・サピエンスは、存在の意味と根源を問う生き物だ。世界観とは、「世界とは何か」という問いかけに対する答えである。それは物語といってもよい。

世界観とは、太い一本の樹木の周囲に無数の枝葉が群生するように、多くの観念や概念をその周りに結び合わせたような、まとまり（＝集合体）であって、他方また配置された一つひとつの観念や概念に意味を与え、秩序立てて配列する中核の役目を果たした。その役目とは、扇の要（かなめ）、蝶番（ちょうつがい）のようなものだと思う。

(2) 世界観と生存

人類が獲得する知見は、生存の確保、維持を狙って続けられる活動と経験の成果である。人類は生存のために、自身と周辺環境に対し、たゆみのない探知の活動を続ける。そうした過程で、脳内では常に獲得した知識を効率良く効果的に活かすため、その分類・整理が行われている。知識の整理は、生存の目的に向けられた有益性の程度に応じて行われる選別作業である。その選別は、より大きな利益を獲得し損失を回避するために行われるだろう。もしそこに誤謬や混乱、無駄が起これば、ときに生存の危険を招く。

知識の蓄積が進むと、安全かつ効率よく利用し続けるために無数の知識を秩序立てること、つまり体系化が必要となる。世界観とは、そうした体系化の程度に達したものであろう。

(3) 世界観と神

ホモ・サピエンスが〈生存の意味〉の探求を続け、その問いかけをやめなかったのは、それが集団の秩序、権力の正当性に直結していたことも理由であろう。なぜなら、人は集団を組み、集団の内部で役割を得て集団の力を借りて生きる。だから、人の生存と集団の形成は不可分一体で、その双方に答えを与えたのが神であったと思う。神は「存在の意味」と「集団の正当性」を湧出する源泉であった。神とは人間生存の根源であり続けた。

異なる人間集団は、地上世界の各地で多様な世界観を生み出した。それに伴い、神もまた様々な姿を取って人々の脳裏に出現する。しかし、神が「人間存在の意味」と「集団の正当性」の源泉である点は変わらない。集団内で生き続ける全ての観念を結び合わせ、価値に従いその配列を決定する基準となった。神はよく全知全能と表現されるが、集団内の価値の配列を決める絶対の源泉である以上、その表現はきわめて自然なものであった。

神は存在の根源に関わっている。その根源は、非日常において姿を現す。つまり、非日常は神を必要とする。霊、死など生存の根源に関係する事柄は全て神と密接に関係する。さらには、権力者の即位と死もまた集団にとり非日常の重大事件であり、神と関わる稀有、希少な機会であった。さらには儀式、祭祀、穀物の種蒔き・収穫など集団の営みを進行させる基準として、暦、天体の運行もまた神と関わっていた。

神官たちの仕事は、神と非日常の関係を矛盾なく意味付けることであった。太古から古代、中世に至るまで、権力者が神官を高位に付け処遇したのにはそうした背景があっただろう。神聖は秩序の維持、正当性の確保のために欠かせないものであった。

2. 世界観の発展

世界観は知の活動の成果として成立し、その一方、さらにそこから新たな知を生み出す源泉ともなった。そこには相互循環が認められ、言語化の発展とともに知は精緻化・体系化の程度を高めて行く。やがてその先に思想が誕生するだろう。

世界観は生存と結びつき、生存の要求が知の体系として結実したものが思想である。ここに生存――世界観――思想へと発展する段階的な構造が見える。これを整理すると、世界観は生存の必要から成立したが、それが知的かつ論理的方面に発展して思想に発展すると考えられる。樹木に幹と枝、葉が茂っているが、地中には生命を育むための根が張っている。それと同じように、世界観とその発展形である思想を支える根元は生存（の必要）である。こうして、思想は生存（の必要）を源流とする点で世界観と連動したものと考えられる[注8]。生存から切り離された知の体系は、リアリズムを失い、ヒューマンな思想ではないと考えられる。

3. 思想─哲学─個別科学

世界観の体系化が進んで思想の段階に達し、思想がさらに論理・論証の傾向を強めるとそれは哲学となるであろう。思想・哲学の段階に進んだ知の体系は、次に個別科学の生成に影響を及ぼす。

これを言い換えると、個別科学の領域は思想・哲学を土台として、そこから発展成長、分化したものということになる[注9]。この関係を思想又は哲学の側からみれば、知見の根が伸びて行き、その先に成立した知が個別科学だということになるだろう。

こうして世界観〜思想・哲学〜個別科学への発展は、知の発展において連動しつつ、論理・論証の強度を高めて行く過程にある。個別科学への発展は特定領域における知の深化である。哲学の考察を欠く個別科学は、原理的考察に裏打ちされていないために、具体的・個別的な問題の解決に当たって必ず障害に打ち当てると考えられる。

なお、個別科学に解消し切れない領域は哲学の内側に残ったままだ。哲学は常に未知とともに存在し続ける。

《第6節》人間とは何か

1. ロゴス〈logos〉

古代ギリシャ世界の知の特質を表現するものとして《logos（ロゴス）》が用いられる。logosはもともと〈言語〉を意味したが、言語には人の認識を結集する力があるため、認識されたばらばらの事実から一般的な関係、原因・結果などを導くことができる。そのため、logosはやがて原理・法則なども意味するようになったと説明される(注10)。

しかし、ハイデガーは、古代ギリシャにおいてロゴスの真の意味は「見えるようにさせる」ことであったと説く(注11)。logosが人類史に遺した最大の財産は、論証を手段として駆使することにより未知に挑戦する開拓精神であった。

2. 近代西洋で誕生した人間像

(1) 人間中心主義

人間の精神を神や教会の支配から解放し、人間理性の存在を前提に人類の歴史と自然を解釈する思潮を「人間中心主義」という。これは、西洋近代に形成された啓蒙思想がもたらした考え方である。これについては、古代ギリシャの思想が14～16世紀のルネッサンスを通して復興したものだという歴史解釈もある(注12)。しかし、古典古代のギリシャの影響はあったにせよ、啓蒙思想は中世世界から人々を脱却させる運動として独自の発展を遂げたとする説が今日では有力である(注13)。

その人間中心主義は、近代を経て現代世界に至ってさらに大きな影響を人類に与え続けている。

(2) 主体と自由

人間中心主義は、主体的かつ創造的な人間像を生み出した。そこでは意志の自由が不動の前提となっている。一つの例証として、近代以後、各国の法学は「意志（意思）の自由」という思潮に大いに影響を受けた。刑法学においても、人は意志決定において自由である以上、犯罪行為の全責任はその行為者個人が負わなければならないとされた。しかし、因果関係において、物質界から完全に自由な行為者などいるのだろうか。たとえ誰かに最終的に責任を負わせるとしても、犯罪者の母親は生むという行為によって最初の因果関係を作り出した以上、免責されていいのかという疑問を指摘する学者もある。子を生む母親のように遠い因果関係は排除し、社会的に「相当な因果関係」にまで限定するのが通説だが、「相当」とはかなり怪しい基準である。民法学においても、契約は能力者の自由な意志によって成立するとされているが、これだと未成年者が一人でバスや電車に乗ることの法的有効性を説明できない。法学の体系は今後長期にわたって、意志の自由、責任をめぐって揺れ動くであろう。

《第7節》知の統一

知を考察するにあたって、知の統一の問題を避けて通ることはできない。知の統一とは認識の統一といっても同じである。知は結果であり、認識は手段である。

認識の統一とは何だろうか。ここでは、統一を理解するために、その逆の不統一や分断を取り上げ考える。その方が分かり易いからである。

初めに二元論という言葉の意味を示しておきたい。二元論は分裂の思想なので、それを知った上で次に統一の意味を探りたい。

1. 二元論

相互に還元できない二つの対立した原理を使って、世界の成り立ちを解釈する考え方を二元論という。二元論の歴史は古く、プラトンが全世界の成り立ちを絶対不変のイデア界と現象界の二つによって説明したのも二元論である。

近代に入るとデカルトは、互いに独立した領域である精神と物体という二つの「実在」によって世界の構造を説明した。これも二元論である。デカルトにおいて、人の身体は物体として純化され、それにより身体は精神から完全に分離された。

2. 認識の分断・分裂

(1) 男女別の哲学?

もし哲学に男女の別を設けて、男の哲学、女の哲学を論じたら、人々はそれをどう感じるだろう。学問として受け容れられるだけの、知的体系として成り立つであろうか。結論からいえば、これは現代文明のあり方から見て、人々に受け入れられる知の所産とはならないだろう。しかし、それに賛同し、時代により国により男女の間には行動様式の違いがあるのだから、区別は合理的だと感じる人もあるかも知れない。

実際に、近代ヨーロッパで「男には魂はあるが、女にはない」と論じた思想家があった。こうした男尊女卑の考え方、制度はどこの国にもあったのである。フランスの市民革命時に「人と市民の権利の宣言」(1789年)が発出されたが、そこに書かれた「人」とは男性だけを意味した。近代市民革命においてなお、そうした状況であった。フランス女性に参政権が与えられたのは1944年、日本の1946年からわずか2年しか隔たっていない。

孔子も「女と下々(しもじも)の者とだけは扱いにくい。近づけると無遠慮になり、遠ざけると怨む」といい残している(注14)。こうした例は、男女が持つ共通の性質よりも差異の方が大きいことを説くものだ。

(2) 分裂の哲学は矛盾する

男女を異質な存在と考える二元論が出現した場合、そこには次のような問題があると思う。

第一に、哲学は思考の原理を追求するものである。原理的な区別をしなければならないほど男女の違いは決定的なものであろうか。相違を理由に別な哲学の体系を論じなければならないほどの根拠はあるのだろうか。実は、男女は違いもあるが人として共通点も多く、違いよりも基本的には同じだという視点で考えるべきではないか。

第二に、男女については、行動様式の違いなど時代や国によって指摘できる点はあるとしても、さらに時代や国を越え、その相違を一般化普遍化できるほどの差異はあるのだろうか。現代のジェンダー論は、男女の社会的相違は歴史的に形成された差別であって、生来の相違ではないということを見出したのではなかったか。

第三に、たとえ事実の面で男女に違いがあったとしても、現代の社会的理想、当為（～すべき論）からみて、男女を平等に扱うべきではないか。人類社会は、SEIN（現在の存在）よりもSOLLEN（あるべき当為）を尊重して社会の建設に進むべきだという理想を掲げているのではないか。このように、男女を原理的に相違する存在とし、それを根拠に性別の哲学を作り出すことは「知の身分制」を創出する試みであると考える。

学問は、知の体系の分裂・分断を拒絶しなければならない。そのためには、手段としての認識を統一する必要がある。手段と結果は連動する。手段の分断は結果の分断を招く。認識の分断は、学問の目を分断し、その結果、知の体系の不統一を招くだろう。

3. 認識の統一

(1) 知の根源的要請

学問は、知の体系化を促し、達成するための営みである。体系化は認識の統一によって、それを手段として行われる。認識の統一がなければ体系化は達成できない。こうして、認識の統一は学問の根源的要請である。それにもかかわらず、統一の視点を断念し、分裂と分断を設定するのは、こうした知の根源的要請に反することになるだろう。

認識の統一は学問の真髄であって、学問の核心に関わる。統一を破壊する二元論は、学問の根源的要請に反している。

(2) 二元論＝分断・分裂の思想

二元論は、二つの世界は分裂し架橋できない異質なものであると説く。したがって、二元論は「認識の不統一」を前提に、それを正当化する考え方である。相容れない異質な世界二つを固定しそこで思考を停止すると、認識は分断したままで、統一の試みは放棄されることを意味する。これは学問的に成り立つのだろうか。

二元論の中でも、宇宙万物には自然法則が当てはまるが、人類には自由が妥当するという考え方は、深刻で破壊的な意味を持った思想であると思う。宇宙と人を分断して理解する思想は、世界を分断する。それは知の真髄に反している。身心二元論もそれに通底する分裂の思想である。

なお、デカルトは二元論に立ちながら、異質なはずの精神と身体が緊密に連動していることに気づき、両者の関係をめぐり悩んでいたという。二元的世界の限界を示していないだろうか[注15]。

(3) 法学者 ハンス・ケルゼンの例

新カント主義の旗印の下に、法学者ハンス・ケルゼンは純粋法学という小宇宙を構築した。法哲学上の一領域を開拓したのである。これは、一般哲学を土台として法学の個別科学を構想したことを意味する。法学は、存在と価値の二元論を基礎として、自然科学から厳格に分離された[注16]。自然科学は存在の法則を扱い、法学は当為つまり人と社会の価値に関係する領域にあるという。

二元論に立つ一方で、ケルゼンは「認識の統一」が学問体系に欠かすことができないものであることを随所で説いている[注17]。しかし、これは明白な矛盾である。存在と価値の二元論を基礎としながら、同時に認識の統一を説くことはできない。分裂と分断の認識を進める一方で、知の一体性を説くことはできない。

(4) 不二の考え方

仏教には「不二」という物の考え方がある。これは、相対立して見える二つのものが実は対立するものではなく、区別されるべきものではないという思想である。これによって、生と死は不二の対象となる。生命と物質及び精神と物体の二元論もまた不二の思想によって見直されるべき対象ではないだろうか。

認識は、対象の物事を分析しようと動く。それは光を当て、対象を浮き上がらせ、識別の作用を及ぼす。その光が強力であるほど、同一に見えた二つの対象の違いが見つかるかも知れない。というべきか、分析とは違いが見えるまで光を対象に当て続けることだといってもよい。分析の学問は識別と分類だともいえるが、これは認識が持つ区別の作用を捕捉した表現である。しかし、物事の中には、無二（二つとして同じのものはない）のものもあれば、また二つは違って見えるが実は同じものだという場合もある。

強力な光は真実を見えなくする場合もある。不二の思想は、認識の光が導く誤りの可能性を教えてくれる。

(5) 生命と物質の二元論に思うこと

生命と物質を分断し、その上で生命は物質から誕生したと考えるのは矛盾だと思う。二元論は異質で橋渡しができない関係にあるから二つを分断したはずであり、物質が複数混交することによって全く別なもの（生命）が合成されるとすれば、それは初めから分断すべきではなかったのではないか。混交によって一方から他方に変化する関係にあるのなら、橋渡しできない関係とはいえない。無はいくら足しても無にしかならず、有には達しない。

二つの王国があって、その間に河が流れているとしよう。二つの王国の人々はお互いに人と鬼ほどに違うと感じている。話す言葉も食事も、生活ぶりも違う。ところが、そこに橋がかけられ、人々は往来するようになり、移り住んだ人々はお互いに言葉や生活習慣を習得し、平和的に暮らすようになったとしよう。二つの王国の人々は、もはや人と鬼の関係ではない。違う点は残るだろう。しかし、ひとしく人間同士の関係である。

生命と物質は通い合っている。二つは、ともに宇宙内の存在であり、分断して異質のものとして扱うべき対象ではないと思う。

4. 一元的世界（一元論）

カントは「哲学は一つ以上存在しうるか？……ただ一つの人間理性があるだけなのであるから、多数の哲学が存在するはずはなく、……哲学の真の体系はただ一つしかありえない。」と述べた[注18]。原理的考察から得られる知の体系はただ一つであるという。学問と称しながら原理上の分裂を抱えたものは、カント哲学とは相容れない。

ラッセルは、共通の主題、例えば西洋哲学史について著書を著す場合、複数の学者が共同作業で行うことの限界について、次のように書いている。

「内容を一人の頭脳の中で総合する必要があるが、共同作業の場合、何者かが失われてしまう」(注19)。これは体系的課題を扱う場合、視点を共通化することの大切さを説くものだ。視点及び認識の統一が失われるとき、知の体系的記述は成り立たない。これは、カントの哲学と通底する。

《第8節》宇宙と人

1．人類は宇宙の破片

宇宙は137億年前、ビッグ・バンと呼ばれる大爆発によって誕生したという。そうだとすれば、地球も、その上に張り付いて生存する人類も宇宙の破片である。人類が星空を見上げる時、それは宇宙外の存在が観察しているのではなく、宇宙が宇宙を観察していることになる。さらには、人が考え又は話す時、それもまた宇宙が考え話すことを意味するだろう。

2．必然と自由

人類は宇宙的存在として、法則の中に生かされている。そのことは、例えば大数の法則に示されている。サイコロを何度も振ると、回数が増えるほど同じ数字の出る確率が6分の1に接近する。これは誰でもいつでも確かめることができる。また、男女は自由にカップルの相手を選択し、子供の数も二人で相談して決めるが、新生児の性別比は国全体ではほぼ一定である。魚類の中には状況に応じて雌雄が転換するものがある。人の新生児の誕生は満潮、老人の衰弱死は引潮が多い。こうした様々な現象は、私たち自身とその環境の中に法則性が潜んでいることを教えている。

個々の人が自由に行動しているつもりでも、視点を大きく移動すると、新生児の男女比のように帳尻が合う。これは、大きな必然があってその枠の中で個々人の自由が許されているというレベルの話ではない。必然の大河の中で、人が勝手に遊泳しているのでもない。人類全体も個々の人も、必然の大河を上(かみ)から下(しも)に向かって流れ下っている。それが宇宙的視点から見た人類の姿ではないかと思う。

3. 他動から自生・自成の視点へ

自身を自由な存在と信じる人類は、行動は自身が起点となりその結果が外部に及ぶものと考える。これにより、主体的な起動が因果関係の経路を経て外部に結果を及ぼす流れとなる。

しかし、人が自立、完結した存在などではなく、宇宙の内部に蠢(うごめ)き、卵が孵化するような過程にあると考えると、人と宇宙の関係は逆転するかも知れない。つまり、宇宙的視点から見ると、人の存在は自律から他律、自生・自成へと視点が移動するのではないだろうか。人の思想や行動には「する」「為す」ではなく、「成(な)る」「生(な)る」の面が確かにあるのではないだろうか。

こうした視点の転換は、仏教の自力(じりき)本願と他力(たりき)本願の問題にも関係する。宇宙的存在の視点を大切にするのであれば、他力を頼み他律を本願とする道が正しいことにならないだろうか。

《第9節》知の地平

海岸に立ちはるか遠くを眺めても、人は地平線の向こうを見ることができない。それと同じように、現代人が歴史をさかのぼり古代や中世を眺めようとしても、それをありのままに見ることはできない。過去は歴史の地平線の彼方に去った。しかし、残された書物や資料を駆使する方法によって、当時の姿に接近することはできる。その可能性と限界はどこにあるのだろう。果たして、人はどこまで地平の向こう側に接近できるのであろうか。

H. G. ガダマーはこれについて考察し、いくら過去の地平を獲得しようと努めても、現実に起こることは現在の地平を過去の地平に重ね合わせることだけであるといった(注20)(注21)。しかも、忘れてならないのは、現在の地平は過去によって形作られているという点である。過去は現在に及んでいる。過去によって形作られた現在の知が過去に語りかける。こうして、過去と現在の間に際限のない対話と融合が続けられる。

地平をめぐる問題は、知の限界とともに対話と融合から新しい知の可能性があることを教えている。

《第３章》

断片から根源へ——根本原理の探求

学問とは、諸現象から一般的法則を探り出すための認識の活動である。それは、私たちの周辺に断片として出現する現象を追求し、そこに貫かれた普遍の根源を探求する営みである。断片は、その背後に秘密を隠している。

《第1節》法則をめぐる考察

1. 法則とは何か

何か決まった条件がそろうと、それを追いかけるように必ず一つの現象が起こる場合、その条件と現象の関係を「法則」という。例えば、私たち自身も身の回りの物体も、地球の引力に引き付けられている。複数の物体の間には例外なく質量に応じて重力が作用する。つまり法則が成り立っている。

自然界と違い、人や社会に当てはまる法則を探るのは容易でない。例えば、国内に流通する通貨の量を倍にしたら何が起こるか、他の経済条件(失業率、インフレ、GDPなど)も同時に変化するので、純粋に通貨増量の影響だけを抜き出して計測することは難しい。こうした事情のため、社会科学では実験ができないといわれる。それだけ法則の探求は難しくなる。もっともこれについても、「社会科学では、自然科学に当てはまるような法則はない」といい切る学者もあれば「社会科学では複数の条件が錯綜するので探求は難しくても、法則自体は存在する」という考えの人もある。

2. 法則の有効範囲——射程

問題は、法則の有効な範囲、適用範囲がよく分からないことだ。ある学

大宇宙の不思議＝NASA撮影

者は、「法則は有効範囲の不明な周遊券のようなものだ」と書いている[(注1)]。適用範囲が不明なのでやってみなければ分からない。実際に研究をやってみて、そこで法則が有効に働けば、その研究対象は法則の適用範囲に入っていることが分かり、働かなければその対象は法則の範囲外だということになる。

ここでも、社会現象は、自然現象と違って作用する要因が錯綜し、その腑分(ふわ)けが難しい。適用範囲の画定はそれだけ困難となる。しかし、困難なことをたゆみなく続けるのが学問である。

自然法則の適用範囲も画定についても、例えば、中世ヨーロッパで天動説と地動説が争われ、現代では地動説が正しいと信じられているが、これは一定範囲内で有効なだけで、広大な宇宙の視点から見れば誤りである可能性がなお残っている。それは譬えていうなら、机上に置いた箱の中では二つの物体の位置関係は明らかでも、その箱全体を反対に又は斜めに動かせば、二つの物体の位置関係が変化するのと同じである。空飛ぶ飛行機の中でゆっくりとコーヒーを飲む人も地上から見れば時速900キロで飛び、他の天体から見れば地球の自転も考慮に入れなければならない。基準を何に取るかで、自明と見えるものはそうでなくなる。

完結した小さな法則が無数にあって、それらが複雑に錯綜、絡み合い、大きな法則を形作っているのかも知れない。大きな法則はさらに絡み合い、巨大な法則に発展して行く可能性もある。

《第2節》人と自然を貫く原理

1. 偶然の現象

A君が街を歩いていて、友人のB君にばったり遭遇したら、帰宅して家族に「今日偶然にB君に遇った」という。しかし、偶然というものは本当にあるのだろうか。A君から見れば偶然のように見えても、もう少し大きいスケールで眺めると、人の移動の方角、速度、時刻などが分かれば、ABの遭遇は当然の結果、必然であったといえるのではないか。

果物のメロンの網目模様は複雑な曲線、文様を描いている。育てている間は、農家の人でも捥(も)ぐ季節にどんな模様が出現するかは予想ができないという。しかし最近、研究者が模様の法則を発見したという。

先ほどのABの遭遇の話に戻ると、法則に貫かれて生きる私たちの世界に偶然はあり得るのだろうか。私たちの目は、周囲のほんの一部にしか届かない「微小の目」である。だから、物事の詳細や全体像を知ることができない。「偶然」と表現するのは、事前に知ることができないことを告白している。もっと「大きな目」を持つ誰かが天高くから見ていれば二人が接近し、街角で遭遇することを予測できるのではないか。

そう思うと、偶然というものはあり得ないように思えて来る。しかし、人の「微小の目」から見れば偶然である。人には見えないものが多すぎる。法則は「大きな目」に関係するものだとすれば、科学の世界に偶然はないというべきではないだろうか。

2. 大数の法則～普遍の確率論

数学の確率論に「大数の法則」というものがある。あることを何度も繰り返すと、同一の現象の起こる割合が一定の数値に接近して行くという経験法則だ。

例えばサイコロを何度も振ると、同じ目の出る割合が六分の一に近づく。振る回数が多いほど限りなく六分の一に接近して行く。このことは、実験によって誰でも簡単に確かめることができる。こうして、大数の法則は経験的に観察されるのだが、なぜそれが成り立つのかは不明のままである。この法則は、私たちの周囲の現象が一定の普遍的な原理に従って動いていることを窺わせる。それはさらに、社会と自然は現象として通底し、学問的には同じ性質を持つのではないかという可能性を感じさせる。

3. ブラウン効果

コーヒーにミルクを入れ、しばらく様子を見ていると、時間が経過した後になってもミルクは微妙に揺れ動き続ける。極小世界の中でコーヒーの粒子とミルクが衝突を繰り返し、それによって引き起こされる運動である。同じ現象はコップの水の表面に静かに落とした花粉などの微小粒子にも見られる。これをブラウン効果という(注2)。この現象はコップの中の分子の運動が引き起こしている。アインシュタインは粒子が動く運動について方程式を作ったが、後にこれは実験により検証され、分子の存在を示す実証的な証拠とされた。

私たち人間は、こうした分子によって組成された世界の中に生存している。たとえ、粒子の飛散する方向や速度の予測は困難だとしても、無数の粒子が衝突を繰り返しながらも集合し、その集合体が構成する存在物が特定の形態、機能を維持する。例えば、容器に入った水、コーヒー、また人体も地球も、人の目から見ると一定の形状のままそこに存在する。それを構成する粒子は飛び回っているのに、人の目には不動の固形物と映る。これもまた小さな自由、大きな整合の一例であろう。

4. 人と法則

人も社会も、宇宙と自然を貫く法則に従いながら活動を続ける。だから、大数の法則やブラウンの法則に支配されて生存するのは、当然のことだといえる。その他にも、まだ人知が及ばない知見が無数にあるに違いない。

大切なのは、私たちが遁れ難い自然界の法則に拘束された存在であるにもかかわらず、それを意識せず忘却して、生存し続けている点である。人は自身を自由と思っているが、真相は正確無比の大きな整合性の中に置かれているのではないだろうか。

人の感覚は日常の狭い範囲に閉塞されているが、人類は普遍性を追求する目で周辺世界を見つめ続けた。現象面においてどれほど違って見えても、人・社会・自然の三者は学問的視点から見れば同一の対象ではないかという信念を持ち続けて来たと思う。そうした信念がなければ、ひとしく学問の対象とすることはできなかったと考えられる。

《第3節》自由と法則

人は、日常の些細なことでも人生の大事であっても、だいたいは自分の意志で決めていると思っている。しかし、そこには本当に、物事を選択し又は排除する自由な意思が働いているのだろうか。人は実は大きな法則に支配されていて、ただ本人がそれに気づかないだけだという可能性はないだろうか。

小さな例を挙げよう。同じ商品なのに、ある店は高く別な店は安く売っていたとしよう。もし、高い店で買うように強制されたら、消費者はそれを不自由と感じる。これを経済学の目で眺めると、満足度を最大化するように物やサービス、カネなどを効果的に組み合わせるのが経済行動の法則で、適合すれば人は自由を感じるし、そうでないと不自由を感じるということだ。満足感は、法則に沿った行動の場合に得られる感覚である。

人の身体にも同じことが当てはまるだろう。体調が良く、健やかで伸びやかな感覚に満たされるのは、人がもともと持っているはずの身体の機能・作用に従って、運動を継続するなどそれに即した生活をする場合ではないだろうか。

もし仮に、法則に適合する場合に自由を感じ、そうでない場合に不自由を感じるのが人だとするならば、自分では自由にのびのびと行動していると感じる時、人は人知を超えた法則に縛られている、ということにならないだろうか。

《第4節》人と自然の関係

1. 月の引力

ここでは、人と自然の関係を考えてみよう。人や社会は、自然界の営みとは全く違っているのだろうか。例えば、人の心や精神の働き、さらには社会が全体として抱く集団心理などは物質界、宇宙の営みとは異質でそこに共通点は認められないのだろうか。

西洋の思想・哲学では、人と自然は二つの異質な領域で、原理的に異なっていると考えられてきた（二元論）。しかし、人間界と自然界は本当に異質世界なのであろうか。人々の生活が集団化、都市化したことによって、人はお互いの心と行動の動きの詳細を知ることになった。その一方、人は例えば鳥の世界を知らない。魚類も、ただ食物として観察するだけで、魚が何を考え相互にどんな交信をし、また行動しているのか全く知らない。もし詳細を知ったら、人間はその余りの能力の高さに驚嘆し、鳥類や魚類に対する目を改めるのではないだろうか。以下には、二元論を考察するために社会と自然の密接な関係を示すいくつかの事例を書き出してみよう。

どこかの警察署で、交通事件を担当する警察官が「交通事故は、どうも満月の日に多い気がする」と同僚に話したところ、「そんなバカなことがあるはずがない」といわれた。ところが、データを調べると事実はそうなっていたという。

西洋では長く、人が月光から発する霊気に当たると発狂すると信じられていた。満月の夜に人間の男が狼に豹変する「狼男」の物語もある。英語のLUNA（月の女神）から派生したLUNATICが「狂人」を意味するのも、これに関係があるそうだ。月といえば、その引力で引き起こされるのが海潮の干満だが、老衰死は干潮、女性の分娩は満潮の時が多いという。人の活動と月の引力が無関係ではないことを示していると思う。

2. 雌雄と男女

以前、『ジュラシック・パーク』というハリウッド映画が人気を集めた。この映画は、遺伝子操作によって恐竜を現代に復活させるというストーリーだが、映画の冒頭、ティラノザウルスは森にメスだけを放つと一部がオス化するという話が出て来る。この映画は荒唐無稽に製作されたものではなく、科学者たちの最新の知見を踏まえて制作されたものだと聞いた。森の中で性別転換をするという話が事実なら、これは恐竜の生命が個体間で相互に独立したものではなく、集合体＝種として結合したものであることを示していると思う。ティラノザウルスに限らず、魚類にも雌雄同体で後にいずれかに変化する例、又は性転換するという例はいくらでもあるらしい。他の動物にもそうした例はあるに違いない。

3. 非婚化・晩婚化・少子化

人の男女の場合、自由意思で結婚の相手と子供の数を決めるが、新生児の男女比はほぼ一定である。各人の自由意思が働いたはずなのに、全体では整合性にたどり着く。これは、人の生命が個体でバラバラに営まれるのではなく、種として連結し統御されていることを示すのではないか。

社会的現象を自然の一部として眺めると、その背後にある要因や理由が違った様相に見えて来る。例えば最近、日本では若者が恋愛をせず、結婚を望まない、子供も欲しがらない例が増えているという。この傾向は、単に若者個人の意識や結婚観の変化を示しただけのものであろうか。言い換えると、非婚化・晩婚化・少子化の現象は社会的・文化的な様式変化の観点だけで解釈していいかという問いかけである。若者の間に広がった傾向の背後に、自然界から届けられたメッセージが潜んでいないだろうか。

著者は、結婚をめぐる社会現象と自然界の間に明白な関連を読み取ることができるように感じている。それは、生命を培養するための地球環境の著しい変化である。子供を生み育む生命維持装置としての地球は、何かが狂い、壊れて来たのではないか。その変調を人類は種として感知し、若者は意識しないままそれに対応した行動をとっている可能性がある。一人ひとりは、自由に選択したつもりの行動に大きな自然の力が作用する。それがもし本当だとすれば、若者の人生を賭けた非婚の決断を誰も責めることはできない。すべては自然界の思し召し。なお、地球には人口が増加している地域もあるので、それについては別途考察を要する。

《第5節》宇宙と人間

1. 自由の感覚

本章の第3節で、買い物をして自由を感じるのは経済学の理屈に適っている場合だと書いた。消費者は、経済資源を有効活用し、満足度を最大化したいと思っている。経済合理性に当てはまっている時に、人は納得し自由を感じる。

こうした事情は、人の意思決定は自由であるように見えるが、場当たり的な自由ではない可能性を教えている。法則に適った自由。人は法則に従うことが嬉しく、それに従うことに満足し、自由を感じるのではないだろうか。法則という言葉に束縛を感じ、まるで自由と対立するもののように感じる人があるかも知れない。しかし、法則と自由は決して対立するものではないのかも知れない。

法則と自由の関係を書いたが、これには反発を感じる人もあるに違いない。そうした人はきっと「自分は法則などに縛られていない。自分の意志、選択に従って自由に行動している」というだろう。

地球も月も、天体は誰の手も借りることなく独りで動く。独自に動くことを理由に天体は自由だという人があったらどうだろう。多くの人は、天体に自由や意志などあるはずがないと思う。第一、脳がないではないか。しかし、脳のあるなしが問題なのだろうか。樹木や草花には動物のような脳はないが、確かに季節を感知、感応し、花粉を飛ばして生きている。脳がなくても生きられる。脳は存在にとって、一つの選択に過ぎない。新型コロナにも脳はないが、人類を襲い、変異株を繰り出し、世界中を引っかき回すだけの能力を誇っている。

2. 自由を感じる過程

私たちの意識は、闇夜で光り輝く松明（たいまつ）のように、小さく煌々（こうこう）と燃えながら、ありありと何かの映像を映し出している。人は、自分の心と体の働き、外部世界の変化を小さな覗き窓から見つめている。そこに見えるのは、身体の内側と外側で粛々と進行する川の流れ（因果の過程）である。覗き窓から見た映像に対し、脳内では選別と排除の作用がたゆみなく進行し、その結果として認識が成立する。認識は、川の流れの水面に姿を現し脳に捕捉された〈何か〉である。

人が因果の過程を認識しても、それは脳が因果の過程を支配していることにはならない。人は精神や行動の過程を支配したつもりになっているが、支配されているのは逆に脳である可能性がある。

養老猛司氏は、脳と末梢神経の関係を論じて、多くの人は中枢が末梢を支配していると考えるが、事実は末梢が中枢を支配しているのではないかと論じている。身体において、末梢が中枢を振り回すことは、例えば身体の一部が損傷し生命の危機が迫った事態を想定すれば納得が行く。末梢のSOSを受けた中枢は、身体の能力を総動員し、危機を乗り切るためにフル稼働を命じるだろう。社会集団のレベルでも、かつて満州国に駐留した日本陸軍の部隊が政府の統制に従わず国を大きく振り回した歴史がある。

こうして、因果過程において脳が何かに支配されたまま、しかもなお自由を感じるのだとすれば、人は自由の幻想に導かれていることになる。事実は、人の存在もその行動も、正確無比の拘束下にあるのではないだろうか。

3. 無意識の世界

人間に自由意志があると考える人は、自分の手を上げて見せ、「このとおり、手を上げる自由がある」ということもできる。おそらく、自由があると思うのは、手を上げようと決めてから実際に行動に至る（手を上げる！）までの心の途中経過が実況放送のように当人に映っているからであろう。その放送は自分の意識のスクリーンに映っている。もちろん、実況といっても一瞬のことに過ぎないのだけれど、ともかく自分の意識のスクリーンに映る。だから、行動は自分が決め、それを支配している。そう思うのではないか。

しかし、映ったからといってどうして自由の証拠になるのだろう。手を挙げると決めたのはなぜであったか。その過程が大事だ。例えば、公園に行くと決めて散歩を始めたとする。決めた後、足は確かに公園に向かい体全体がその意図に従って動いて行く。しかし、歩く前に公園行きを決めた、それはどこから来たのだろう。自由に行動しているように見えて、遡って行くと理由がよく分からない領域にたどり着くような気がする。何か原因があったのだろうが、それがはっきりしない。「晴れて気持ちがいい」のが理由に見えて、晴れても川に行く日も散歩に行かない日もある。決めるのは無意識の領域だろうか。無意識の領域が発端だとしたら、人は行動において自由とはいえないのではないか。「いやそれでも人は自由だ」というのであれば、樹木も草花も天体の運行も自由なのではないか。リンゴの落下も、リンゴの自由意志ではないだろうか。そこまでいうと、人によっては頭を傾(かし)げて、「いくら何でも、リンゴの落下はただの重力でしょう」というかも知れない。しかし、リンゴの落下は自然現象としても、人が歩くのも重力、気温など自然の働きの支配下で足を動かしている。足の運動も筋肉、血液、養分など天の恵みの配剤によって与えられたものだ。

先ほど、心の動きは意識だけでは説明できず、無意識の領域にたどり着くと書いた。発端が無意識で、意識が働き出すとそこから先は頭のスクリーンに映るので、いかにも人は行動を支配しているように感じる。

発端といえば、人はこの世に最初に姿を現した時点で、自分の意志や行動の自由とは全く無関係であった。気がついたら二本足で地上に立っていた。しかも、成長した後になっても、相変わらず意識の発端（無意識？）はよく見えないし、分からない。それでも人は自由を信じたい。なぜだろう。自由を信じた方が都合のいい訳でもあるのだろうか。

《第6節》必然と自由

1．自由をめぐる謎

一番肝心の命の始まりにおいて、人は自由意志で生まれ出て来たわけではない。生存自体が意志とは別なところから始まった。そこに、自己決定や自由意志などない。もちろんこれに対しては、「生まれるまではそうかも知れないが、生まれて成長してからは別だ」という人があるかも知れない。しかし、本当にそうだろうか。人体もまた宇宙に存在する極微小の素粒子によって構成された有機体である。人は、必然が進行する自然世界の内部に包摂されている。自由といっても、意識のスクリーンに映し出された到達点を狙って行動を制御することであるとしたら、自由に見える選択は実は強制された流れに乗るだけのものかも知れない。人は、進行する流れに即して行動を調整している。もし、沈む船から投げ出されれば人は波の中で沈むまいと懸命にあがく。手の動かし方は自分が決めるのだから自分は自由だなどといえるだろうか。追い込まれた状況の中で、最も有効な行動を強制されただけではないのか。意識による後追いは自由といえるのだろうか。そう考えると、やはり自由は人の幻想でしかないのではないか。

自由と必然の関係をどう考えるかは、論理的に二つの可能性があると思う。一つの可能性は、自由意志を必然の部屋から追い出してしまう方法だ。その場合、人（の意志）は必然の世界にはない。西洋思想はこの方法を用いた。精神と物質を区別し、物質世界は必然、精神は自由と考えたのである。しかし、物質界に包み込まれて生きる人類が必然と法則から遊離して存在するなど、そんなことが果たしてあり得るのだろうか。もう一つの可能性は、自由と必然を同じ部屋に閉じ込める方法である。つまり自由は必然、必然は自由と考える。必然の法則に従うことが、人の意識のスクリーンの上では自由と映る。

2. 人は必然の存在か

人は自由な存在だという思想に疑問を投げかけた学者は古くから少なくない。以下には、オーストリアの物理学者で湯川秀樹にも影響を与えたシュレディンガー[注3]の言葉を引用しておく。

「……生きている生物の身体の中で行われる時間・空間的現象は、その生物の心の働きや自覚的な活動に対応するものであっても、……厳密に決定論的と云えないまでも、とにかく統計的＝決定論的であります。……私は……「原子の運動」を自然法則に従って制御する人間である、ということだと思います。」

シュレディンガーは他の個所で、「人は自然法則に従って行われる運動の支配者であり、その運動の結果を予見し、その結果に責任を感じる存在である」と述べている。

シュレディンガーの記述にあるとおり、人は自分の行動を意識しても、それを根拠として行動のすべてを制御していると断定することはできないと思う。自覚と制御は別の次元の問題ではないだろうか。

3. 自然と人工

現代人は、自然の物と人工の物は容易に区別できると考える。太陽や石ころ、植物は自然のものだし、本や机、自動車や建物は人工物である。自然界の物は人の「意図」を要することなく生み出されるが、人工物は「意図」によって作り出される。

しかし、二つの区別が容易だと考えるのは本当に正しいのであろうか。二つは本当に確実な基準で違いを説明できるだろうか。この問題は、自然と人間（社会）を区別する西洋二元論の真価と連動した問題である。

モノー（注4）は、これについて、プログラムを組みコンピュータによって自然の物と人工の物を区別しようとしてもそれは無理だと述べている。人工の物を容易に判定できるのは、人が人工物であることを知っているからだという。もし、火星人が地球に来て蜜蜂を観察すれば人工の作製物と勘違いするに違いないと書いている。火星人は報告書に次のように書くだろうという——地球上である技術を発見したが、それと較べれば火星の技術などはおそらく原始的なものに見えるであろう(注5)。

モノーによれば、人工と自然を完全な基準で区別することはできない。両者の違いは人の意識の中にあるだけだという。もし人工の作製物と自然物の間に区別がないとすれば、人(の行動)と自然(界の諸力)は一気に接近し、やがて精神と物質を分離する二元論の崩壊につながる可能性があるのではないか。

モノーの思想は太古の人々の感覚と世界観を映し出し、それが見事に結晶したものだと思う。そうした感覚は、法哲学者ケルゼンの以下の記述にも反映している。「原始人は自分の手で作った物、自分の肉体・自分の精神の力で作った物も、自分の力で作り得たものとは考えない。彼らは超自然的な力の産物、神々の作品としてうやまわねばならないと考える。」(注6)

《第7節》必然と自由をめぐる思想

1. 梵我一如——古代インドの思想

必然と自由を一体のものと観照する思想は、古代インドのウパニシャッド哲学によって生み出された(注7)。この哲学は、宇宙我と個人我の一致を説く。これが梵我一如(ぼんがいちにょ)である(注8)。

宇宙我と個人我が同じであるのは、同一の峰を異なる方面から見ればエベレス山ともなりまたサンカール山ともなるのと同じだという(注9)。個人我は一切の根源である宇宙我に他ならない。これにより、個人は絶対化する。宇宙我=個人我は、主観的原理として見れば微小微細であり、客観的原理として見れば極大であり一切を包摂する。これは、必然と自由は一体であるという思想である。これによれば、自由とは必然に従うことを意味する。自由とは必然である。

2. 一元論と人間中心主義

ウパニシャッド哲学は、後に西洋で発展した精神・物質の二元論とは違い一元論を説く。それは二元論世界に住む現代の私たちに多くのことを問いかける。人が自然から切り離された特別な存在と考えることの可否、客観・主観の分離思想の不毛を教える。何よりも、ヨーロッパ近代の政治・社会思想、文芸の発展に大きな影響を与えた「人間中心主義」に原理的な省察を迫る。

3. インド思想と日本思想

日本は明治期に西洋思想が流入する前、中世・近世期において、「天心一如」などの言葉が示すように「世界」に代えて「天」の表現をよく用いた。また鎌倉時代以降には禅宗が盛んとなり、主客を分離しない考え方が行われた。こうした例は、ウパニシャッドの思想が中国を通じて日本に浸透していたことを示していると思う(注10)。

《第8節》古代インド思想の影響

自然の原理と個人の原理を同一化する古代インドの思想は、歴史上固有かつ唯一の思想であったわけではない。宇宙と人を同視する思想は、世界各地の他の思想にも認めることができる。しかし、歴史的な経緯からみる限り、古代インドの思想はそうした類似の考え方の中で最古のものであった。類似の考え方とは、仏教の華厳経、禅宗、さらに西洋哲学でもショーペンハウアー、ライプニッツの哲学がそれである。

1. 華厳経

華厳経は、世界の万物一切は盧舎那仏(るしゃなぶつ)が姿を現し顕現したものであり、世界のどのような微塵も全世界を映し、また一瞬の中に永遠が含まれているという。これを「一切即一(いっさいそくいち)」「一即一切(いちそくいっさい)」と表現する。華厳経は、「一即一切」によって一の中に一切が含まれ、その一切のうちのそれぞれの一の中にさらにまた一切が含まれるという際限もなく重層化した世界を説く(注11)。この思想はウパニシャッド哲学の影響を色濃く反映していると考えられる(注12)。

2. ライプニッツ

ライプニッツは、無限個数ある実体=モナド(単子)論によって世界の成り立ちを説明した。モナドはいずれの二つも相互に因果関係を与えることはなく、完全に独立している。それは無限個数の時計が同一の時刻に鐘を鳴らすのと同じである。一斉に鳴るのは相互に影響を与えるからではなく、全く独立に各々そのようにセットされているためで、モナドもまたそれと同じであるという(予定調和)。あらゆるモナドは宇宙を映し出しているが、それは何かに影響を受けてそうなったのではなく、モナドは本来的固有に各々そうした性質を持っているのだという(注13)。

モナド論は、華厳経の説く「一切即一」「一即一切」と限りなく響き合う思想であると思う。

3. ショーペンハウアー

ショーペンハウアー(注14)は、宇宙に実在するのはただ一つの巨大な意志であり、その意志は生物、無生物を問わず自然の全ての過程に現われると説く。諸現象の背後にある意志は、異なる多数の意志であることはあり得ない。そして、「私」の意志は宇宙全体の意志と一致すべきものだという(注15)。

こうした思想は、インドの古代思想とよく類似する。実際、ショーペンハウアーは東洋思想を研究したことで知られる。

4. 禅宗

禅宗は禅の修行から発展した教えである。仏教の真髄は、経典ではなく座禅によって直接体得できると考える。その特徴は、主体と客体を分離しない未分化の状態から得られた純粋経験を尊重することにある。また、断定的結論、二項対立的な概念による正否の判断を否定する(注16)。

禅の思想は、人を固定的概念から突破させ、宇宙の息吹(いぶき)に直接さらす、接触させることを狙う。そこでは当然に、人が宇宙と一体であり、宇宙に対する感知能力が具わっていることが前提になっている。私たちが宇宙誕生の大爆発によって飛び散った星屑(の一部)であるなら、私たちが考え話すのはそのまま宇宙が考え話すことであるに違いない。人の意識に映る観念の去来はそのまま宇宙の意識であろう。禅宗はそれを達観し、静かに受け止めた思想であると思う。

《第４章》

知の歴史

一度開拓された土地が、しばらくは豊かな収穫をもたらすにしても、やがてまた見棄てられてしまうこともないではない。今日の真理が、明日否定されるかも知れない。それだからこそ、私どもは、明日進むべき道をさがし出すために、時々、昨日まで歩いてきたあとを、ふり返ってみることも必要なのである。

――湯川秀樹

《第1節》太古の世界

1．人類の誕生

(1) ホモ・サピエンス

現代に続く人類の種（＝新人）の特徴を示すための名称はいくつかある。人の最大の特徴は遊び心にあるとするホモ・ルーデンス（homo ludens)、物を作ること特に道具作りにあると考えるホモ・ファーベル（homo faber)、知恵・知性こそが人の中心的な特性だと考えるホモ・サピエンス（homo sapiens）などである。

今日定着した呼称はホモ・サピエンスである。たゆむことなく知を探求し、ロゴス(注1)を駆使し続ける人類像がそこに現れている。ここで、ロゴスとは論理、理性を意味する。ギリシャ人は人を「ロゴスを持つ動物」と定義したが、これは彼らが富や権力ではなく、言葉によってすべての問題を解決しようとする生活様式を尊重したことを指している。

ホモ・サピエンスは、アフリカで数万年前に誕生した。それより以前に、やはりアフリカで誕生し地上世界に拡散した先発の旧人があった。ホモ・

サピエンスは、旧人を追いかけるように移動を開始し、世界各地で旧人を滅ぼしながら急速に地球上に広がったと考えられている。考古学上の痕跡を調査すると、8～5万年前には欧州、3万年前には日本に達していたという。かつてホモ・サピエンスは旧人から進化したものとする説もあったが、環境が大きく異なる世界各地で短い期間内に置き換わることの不自然さが指摘され、今日では新人（ホモ・サピエンス）は旧人を滅ぼしたとする説が有力である。掃討される過程で、旧人の中には奥地、山の頂上近くなど、生活環境のより厳しい地域に追いやられたらしい。こうした事実を示す遺跡も発見されている。虐殺と謀略を得意技とするホモ・サピエンスの姿がそこに映っている。

(2) 人類の遠い記憶

ホモ・サピエンスは、地球上の各地を移動、終に踏破するに至る。太古の世界を地球規模で放浪し続けた人類の遠い記憶が、現代世界の移民や難民、さらには旅を求めてやまない私たちの生活感覚に刻み込まれていないだろうか。人類の放浪の記憶は人間一人の場合でいえば、幼少時の原体験のようなものである。幼少時の記憶は、その後の思想形成に影響を及ぼし続けるであろう。人類の場合も同じことがいえるのではないだろうか。

また、人類が知の探究と獲得に傾注する存在であることは、数万年を遡るラスコーやアルタミラ洞窟などの遺跡群に残された絵画に現れている。そこには、周辺世界に対し精緻な観察の目を向け、知性を重んじる人類の姿が映し出されていると思う。

一つ忘れてならないのは、ホモ・サピエンスが残虐な性質を具えていたという事実である。文字に残された記録の限り、人類の歴史は他者の生活圏に対する侵略と殺戮に満ち溢れ、それが絶えることはなかった。有史以前、それが別世界であったとは考えられない。

(3) 太陽の昇る東方へ

人類はアフリカ東部で起こった後、主に陸地を通って世界各地に広がったと考えられる。しかし、柳田国男が指摘するように海路の重要性も見落としてはならないと思う(注2)。

陸路であれ海路であれ、人類が日の昇る東方を目ざして移動した可能性を否定することはできない。太陽はあらゆる生命力の源として地上に輝いてきた。多くの種族が太陽神を祀ったのは、太陽の存在が人々の生活圏において超大であったことを物語っている。太陽を神聖視し、神格化する風習は世界各地にきわめて広範囲に認められる。太陽神話も多くの種族によって多数生み出された。太陽神話とは、太陽の発生や運行さらには太陽神の行動などを説く説話である。日本にも天照大神（あまてらすおおみかみ）の話が残る。

太古の人々にとり、天上に燦然と輝く太陽は何者よりも尊く強靭な力の源泉であったに違いない。それは単なる象徴に留まるものではなく、実在する万能の存在であった。神は人類に広く認められる概念だが、神は太陽と結びついて成立した可能性がある。神は太陽とは別の何者かによって触発され誕生したのではなく、太陽が人々の脳の中に神を作り出したのではないか。万物の中でも太陽は圧倒的な存在であったから、神より太陽が先だと考えて不思議はない。太陽はその光輝によって闇夜を霧散し、地上の全てを輝きの下に照らし出す。それは再生の象徴でもあった(注3)。

太陽がこうした存在だとすれば、人類がいつ果てるともない移動を進める中で、方角を見定めようとする時、日の昇る点を目ざしたと考えても不思議はない。もちろん、海や湖沼、大河などによって進路を阻まれ、北や西、時には南に向かうことはあっただろう。しかし、その後私たちの祖先は再び東に向けて歩み続けたのではないだろうか。

人々は思ったに違いない。——太陽には無限の力がある。その太陽が規則正しく天に昇る地点にたどり着けば、そこには生命を養う豊かな楽園が広がっている。恵み豊かな極上の五穀、永遠の命を養う水。目が覚めるほどに美しい山や川、湖。どんな病も苦しみも瞬く間に癒してくれる万能の薬も採れるだろう。女たちを美しく飾る、目に眩しいほどの宝石もいくらでも見つかる。こうして、男たちは愛しい家族を守り抜くため、太陽の昇る地点に向かい、集団を組み試練に苦しみながら決然と前に進んで行っただろう[(注4)][(注5)]。

(4) 現代も移動を続ける人類

現代世界は200近い国家に分断され、人々は各国の境界線の内側に閉じ込められている。しかし、そこに生存する人々の内面には相変わらず移動を求める、やみがたい衝動と原動力が潜んでいるように思える。その現象とは、一つには移民と難民の問題、もう一つは、経済的に豊かな国の人々が抱く、旅に対する根強い憧憬とロマンである。

世界は21世紀に入ってからも、絶えることなく移民と難民をめぐる問題に揺れている。その原因は戦争や飢餓、経済的困窮である。コスタリカ、ホンジュラスなど中南米から米国に向かう人々、シリア、イラク、アフガニスタンなど中東から欧州に流入しようとする人々。バングラデシュからミャンマーに進入、迫害によって逆の移動を始めたロヒンギャたち。近代国家の成立により国境線が確定する以前、人々は常に移動し続けた。中世の欧州大陸にはゲルマン人が長期にわたって大移動を続けた歴史が残る。人類は、自然界の波動現象のように揺れ動き、絶え間なく移動を続けた民である。定住の民となったのは国境線と実効的な権力が確定した近代以降のことである。対メキシコの国境線に壁を築いた米国トランプ大統領にも主張はあった。しかし、南から押し寄せる移動の民たちにも言い分はあった——米国民自身が移民だったではないか。

地球が小さくなったといわれる現代世界で、豊かな国の人々が旅を求める傾向は決して衰えない。近代国家が成立し、世界が国家に分割された後になっても、いやそれだからこそ、まるで国境線を窮屈に感じるかのように人々は旅を求めてとどまることがない。

現代に至ってもなお人類は、貧窮の民は生活の手段を追い求め、豊かな民は旅のロマンを求めて地球上の移動をやめようとはしない。

2. 知の遺跡

(1) ラスコー洞窟

フランス南西部のラスコー洞窟の岩壁に、躍動感あふれる動物の絵画が200点ほど残されている。洞窟は1940年、近所の少年4人が愛犬を探すうちに偶然に発見された。そこには深い緑、鮮やかな黄、茶、黒、赤などの顔料を用いた牛、鹿、馬、魚などの動物などが、伸びやかに流れるような曲線で、ときに濃淡のグラデーションを伴い描かれている。牛や馬はふくよかな量感を感じさせる。初めて見た少年たち、連れて来られた大人たちは迫真の筆致に驚嘆の声を上げ、目を見開いたに違いない。

壁画は後期石器時代、今から1万2000年〜4万年前にホモ・サピエンスによって残されたものだという。ホモ・サピエンスに分類されるクロマニョン人（Cro-Magnon）だとする説もある。時期に幅があるのは、それだけ長い期間、人々がそこを居住空間又は祭祀の場所として利用したことを示すだろう。

近年の研究で、それらの絵画は天空の星座を表わし、天体現象を記録したものであることが知られている[注6]。鳥の頭を持つ人間、不思議な記号も残る。〈知恵ある人〉の面目躍如である。こうしたことによって、ラスコー壁画は人々が天を見上げ観測した結果を記録した場所だったとする研究がある。壁画は自身の属する集団と子孫のための記録だったのだろう。人々は知が生活に有用で、それ故に公共財であることを理解していた。

ラスコー洞窟の他に、トルコで発見された遺跡の石柱には、彗星の衝突を示したとみられる記録が遺されている[注7]。これにより、これまでギリシャ時代とされた天文学の起源は数千年を遡ることになった。ヨーロッパの精神を形成したエーゲ海文明から数えて、はるか5000年も遡る文明である。

私たちの遠い祖先は、周辺の地上と星空を観察し、自分たちの立ち位置を確認、記録し、子孫に残す作業を忘れなかったのである。それは自身の承認要求、存在証明だったのだろう。

(2) アルタミラ洞窟

アルタミラ洞窟は、スペイン北部にある旧石器時代後期の遺跡である。そこに描かれた動物絵画はバイソン、イノシシ、鹿など当時狩猟をしていた人々が日常的に接触していた動物の姿を描いたものと考えられている。

絵画は写実的で、色彩の濃淡による立体感、点描法など進んだ技法も認められる。筆致は生気に溢れ極めて躍動的で、これまで発見された旧石器時代の絵画の中でも最高の芸術作品と評価される(注8)。

(3) アイスマン

1991年、イタリアとオーストリアの国境近くの渓谷にある氷河で、観光客が男の凍死体一体を発見した。初めは、道に迷った現代の旅行者と思われたが、調査の結果、5300年前の男性と判明する。遺体はアイスマンと名付けられ、考古学、法医学、冶金学などの専門家らによって徹底した調査が行われた結果、それまでの歴史上の通説を覆すほどの事実が次々と判明する(注9)。

アイスマンは銅製の斧を抱えていたが、銅の純度は99.7%で、すでに高度の精錬技術が用いられていたことが判明する。また武器として持っていた矢には回転させて命中率を高めるための羽が12本あり、革製のポーチの中には矢を修理するための道具、さらにはやじりを固定するためのノリ（カバノキを煮て作ったもの）も見つかった。

アイスマンは腰椎すべり症の病気を抱えていた。驚くのは、その病気に鍼の治療を施していたことが複数の刺青の跡によって判明したことだ。治療箇所は現代に知られたつぼと完全に一致している。鍼による治療は、歴史上中国古代で開発されたといわれて来たが、すでに欧州で知られていたことになる。

胃の中からは、小麦と水を加工した食物、さらに腸からは煤が確認されている。これによれば、パンを焼いて食べていた可能性があるという。さらに、腸に寄生虫がいたが、靴紐には寄生虫予防に効果のある薬草・カンバタクが用いられていた。当時すでに、寄生虫が地面から足の裏を通過して人体に入り込むことが知られていたのだろう。

履いていた靴は熊の毛皮で、内部には藁が入れられてあった。脛を包むためのゲートル（脚絆）は革製である。また、体にまとった服は草で編んでおり、服の上には雨具を羽織っていた。その外套は、種類の異なった皮を縦縞模様に継いで作ったものである。ベルトには乾燥キノコの入った小袋が付いていた。さらに、頭には熊の毛皮で作った顎紐付きの帽子を被っている。実用だけではなく、おしゃれの感覚を示す服装品であったらしい。他にも、火おこし用の補助材に利用されたらしい木炭も見つかっている。

こうした事実から私たちは何を学ぶことができるだろうか。現代人は、知的能力の面で他の動物よりも格段に優れていると思いたがる[注10]。自惚れは心地良さを与えてくれるからだろう。そうした現代人の優越感は、そのまま太古の人々にも向かう。たかだか数万年前の人類が猿やゴリラと何も違わない姿で描かれた絵をこれまでに幾度も見たことがあるが、私たちは本当に容貌も生活用品も、それほどに異なっていたのだろうか。携帯電話やパソコン、エアコンはなくても、彼らの生活用品には類似するものがあり、さらには人の感情は何も違っていなかったのではないか。現代人は、「人間中心」の心地よい慢心に酔うあまり、自分たちの祖先の姿さえ歪めて見ているのではないだろうか。

(4) エジプトの三角法

エジプトは、ナイル川の豊かな水量によって土地が養われた。ギリシャの歴史家ヘロドトスは「エジプトはナイルの賜物」と書き残した(注11)。これは、ナイルの定期的な氾濫が上流の豊かな養分を広大な下流域に浸透させ、人々はそこから豊富な食糧を得て紀元前5000年頃、歴史に残る都市文明を築いたことを指している。しかし、ナイル川は人々に豊穣だけでなく、同時に災厄をもたらす源でもあった。

毎年、流域を定期的に襲う洪水が引くと、人々の間にはきまって土地の境界をめぐる争いが頻発した。紛争の解決には、当事者を納得させるだけの根拠が必要であった。古代エジプト人たちが三角法という測量技術を生み出した背後にはそうした事情があった。土地の形状は多少の誤差はあっても、様々な形状の三角形に分断できる。逆にいえば、大小の三角形を組み合わせればほぼ土地の形状を復元できる。三角形は辺と角度によって形が決まるが、エジプト人は直角三角形の場合、その一部が不明でも不明部分を計算できることを発見したのである。三角法は土木技術、ピラミッドの建設にも利用されたに違いない。

エジプトの技術は、20世紀の軍事技術にも影響を与えた。遠く離れた敵までの距離を直角三角形の性質を利用して測定する測距儀である。レーダーが隆盛となる以前、各国の海軍艦艇、陸軍部隊にとり測距儀は欠かすことのできない装備品であった。

エジプトの三角法は、学問が生活の必要と結びつき、それを起源として発展したことを示している。

《第2節》古代世界と都市文明

1. 都市と文明

(1) メソポタミアとエジプト

ヨーロッパ文明の源流をたどる場合、歴史家はギリシャ文明とキリスト教を最初に取り上げるのが通例であった。文字化した記録はそこから始まり、他に方法がなかったからである(注12)。しかし、古代メソポタミアの楔(くさび)形(がた)文字、古代エジプトのヒエログリフが解読されると、両文明が人類史の舞台でいかに巨大な存在感を占めるものであったかが判明する。

これにより、人類初の都市が古代メソポタミアに成立し、そこに残された「ギルガメシュ物語」が都市文明の誕生を示す最古の記録であることが知られるようになった。

(2) 都市化の発生

アフリカを抜けた後もなお森深くに棲んで暮らす人類の生活に革命的な変化を作り出したのは、都市化が原因だといわれる。歴史上、都市化を大掛かりに進めたのは、シュメール(注13)のギルガメシュが最初であった。彼は聖なる森の神フンババを「殺した」とされる。これは、神聖にして侵してはならない森を畏れることなく伐採、切り開いて都市空間を作り出したことを意味した(注14)。

(3) 都市化の展開

都市化は、人類の生活意識、居住感覚に劇的な変化をもたらした。森は人々の生活圏の中心から消滅し、そこから森の神は去った。人々は、身を寄せ合って集団となり、各々職業を持ちそれによって生存を支え合う都市人が登場した。

都市人たちは、森の中とは大きく異なる生活様式を発達させて生活のゆとりが生まれた。それが人口を急増させただけでなく、周辺地域の人々を吸収、都市は経済と政治の中心として発展する。古代ギリシャの都市国家ポリス(Polis)は、砦を置き城壁を築いた。人口は数千から数万と小さかったが、アテナイは例外的に30万人であったという。都市国家は、ギリシャ世界全体で数百を数えたといわれる[注15]。一方、ローマの都市国家は、前7世紀から前4世紀の間にローマの七つの丘を中心に城壁を築いて建造されたものであった。

こうした都市化の過程で、人々の精神を組織化した、制度としての社会が成立した。それは単に多数の人々が集合したものではない。社会的人間、社会的存在の登場である。アリストテレスは、人は「社会的動物」だと書いた。「社会的動物」とは、都市化によって生活の機能を分担して相互に依存し支え合う人々のことである[注16]。こうして、都市化とともに成立した社会において、独立し分断された群れは消滅し、機能の役割分担と細分化の下で生存する人間像が形成された。人類史において、都市化と社会化は両輪となって進行したと思う。

(4) 都市化と知の形成

人類は都市化によって自然から切り離された。人々はそこで、自身が動物であることさえ忘却し、人と社会は自然界とは別の異界にあると考えるようになった。現代世界の人類にまで共有された感覚の創生である。森と自然から抜け出したことによって、人類は自身が特殊、固有、唯一の存在を獲得したという信念を抱くようになった。脳が生成した思想はそこから著しい成長を開始する。こうして、都市は文明形成の舞台として登場するようになった。都市で醸成された人類の思考の土台は、古代中世を通じ現代に至るまで受け継がれている。

現代世界では当然のように受け止められた自然と社会の二分思想は、すでに都市化の初期に形成され、その後歴史の舞台で確実に進行、肥大化して行ったものと考えられる。近代西洋思想の源流〈人間中心主義〉もまた都市化の進行と一体になって成長したものであろう。

2. ギリシャ文明

(1) ギリシャ世界の特異性

前6世紀、古代ギリシャ世界の台座に異彩を放つ知の空間が出現した。異彩の光は、ダイヤモンドから放たれたように硬質の透明感に満ちていた。古代ギリシャ世界に成立した知の空間には、現代のあらゆる知の原型を見出すことができる。

ギリシャ世界が知の歴史に果たした役割について、ラッセルは次のように書いている。

「全歴史を通じて、ギリシャに文明がにわかに勃興してきたことほど、

驚くべきこと、あるいは説明に困難なことはない……」[注17]

人類史の舞台で突然進行を開始した異例の事態は、果たして何が原因で起こったのであろうか。ギリシャは当時、内陸では大土地所有制によって富が生み出されていたが、その一方、東方世界との交易が豊かな繁栄をもたらす源泉として重要な役割を担っていた。東方世界は無限の富の源泉であり、エーゲ海はその通路であった。ギリシャの人々は、精神性を重んじるエートス（気質）が漲（みなぎ）る空間の中で、東方の異文化世界と青い海洋によって真理の探求に駆られて行く。

こうして、古代ギリシャで知が爆発した背景には、海路がもたらした豊かな経済的繁栄と知の無限の可能性を湛（たた）えた青い海洋があったと考えられる[注18]。

(2) ロゴス (logos) の成立

ギリシャ世界は、〈知を考える精神（ロゴス）〉を発展させた。ロゴスの根源の意味は、ハイデガーによれば「見えるようにさせる」ことだという。知を対象とする学問＝哲学の誕生である。

ひとたび森を離れたギリシャ人たちは都市化を急速に推し進め、周辺の自然は荒廃したまま放置された。彼らは自然から遠ざかって行き、〈人間存在〉〈人間精神〉の探求へと向かったのである。これは、人間を自然との関係から切り離し、自然界とは異界にある存在として孤立させたことを意味する。それとともに、彼らの主要な関心事項となったのは人の霊魂であった。その意味で、霊魂とは都市化が生み出した究極の人工物、加工物であるといってよい。

自然は、人類を産み出した根源であった。しかし、大掛かりな都市化が進んだ古代ギリシャ以降、人類は自然から遠く離れて行き、孤立へ向かう軌道に乗った。それは現代にまで至る軌道である。遠い旅路。人類は、自ら自然の一部であることを忘却し、母なる自然を征服と破壊の対象とみなすようになったのである。

《第3節》ヨーロッパ近代の成立

1. 哲学と科学

(1) 未知と既知

未知を論じるのが哲学である。したがって、これまでよく分らなかった領域が、解明が進んで既知の領域に入り込むと、それは科学となる。したがって、哲学と科学の境界線は可変的である。物理学や天文学がその好例である。遠い古代の世界において、物質や天体は人々にとり謎であった。神がかった説明が用いられたのは、そのためであろう。しかし、近代に入り神を介さず物質、天体の法則や原理の解明が進むと、物理学、天文学が自然科学の分野として成立する。しかし、科学による謎の解明も、自然界を説明する一つの物語であり、物語はやがて書き換えられるであろう。同時に、学問がどれほど進歩、発展しても、未知の領域は残る。つまり、哲学の役割が消滅することはない。

未知について考察し、その奥に潜む真実を突き止めるためには、考える筋道をよく整理して進まなければならない。〈考え方を考える〉といってもよい。考えの進め方を厳密にしておかないと結論はいい加減になる。多くの人が納得し受け容れる結論を導くためには、それだけの説得力がなければならない。そこに哲学の役割がある。

(2) 既知の開拓と未知の拡大

ナトルプは、学問は発展し既知の領域が拡大するにつれて、未知の領域が天文学的な勢いで拡大して行くと語った(注19)。既知となることによって未知が減少するのではなく、逆に拡大する。彼は、未知の領域の成長は、まるで球の直径が増えると球体の表面積が増加するようなものだと述べている。これは、何かを知り知識が増えると、それまで隠れて見えなかった問題が次々に姿を現して来ることを指している。新たに知ることによって、これまで知らなかったことに初めて気が付くのである。それは知の地平が広がったことを意味する。

こうして、私たちの認識の対象は決して完結することがない。知の探究が進み内容が豊かになるにつれ、球体の表面積が急増するように未知の部分が拡大するのだとすれば、哲学が果たす意味と役割はさらに拡大し、重要になって行くと思われる。科学は哲学を求める。科学の発展は、哲学の役割を消滅させることも、そこから解放されることもない。逆に、哲学の原理的思考に対する要求はさらに強まって行くのではないだろうか。科学と哲学は車の両輪である。車とは知の世界である。

2. 科学の誕生

17世紀に入ると、西洋近代に起源を持つ、自然界に関する知見を科学と呼ぶようになった(注20)。科学は、実験によって不断に検証が行われ、かつ数学化される点に特徴がある。体系化が進むと、知識を意味するラテン語scientiaに代わり、英語のsciencesなどが科学を意味する言葉として用いられるようになった。

3. 科学に基づく技術の発展

科学の発展とともに、自然界は機械論的に眺められるようになって行く。こうした自然機械論の見方は、古代から都市化が進行し人類の生活形態として一般化するとともに、そこで生み出された「人間中心主義」が優勢となった歴史と密接な関係があると考えられる。都市化が人間中心を生み、それがさらに機械論を作り出したという見方である。

自然機械論は、人類が「自然の中の人間」「自然界で生成された人類」を捨てて自然から孤立し、逆に「人工的に作り出された機械」を自然に投影し、それによって自然界を解釈しようとした結果成立したものである（注21）。自然機械論は、人類の自信と傲慢が都市化を契機として際限もなく増大し、ついに宇宙の成り立ちにまで立ち入ったことを物語る。

こうして、科学は思想的な足場をも確保し、人々の広範な支持を得ながら発展を続け、終にヨーロッパ近代に至ると、権力と富を握った絶対君主が科学上の研究機関を次々に設立して産業資本を支援するようになった。絶対君主たちはその権力を揮い、商品経済の発展により成長を遂げた産業資本を支援するために高等研究機関を設けたのだが、それによって科学技術と経済発展の間に依存と循環の関係が作り出された。これにより、化学、熱力学、電磁気学の理論化が進み、有機化学、電磁気学などが技術化され、人口染色産業、電気技術が社会に浸透する。こうして、「科学に基づく技術（science-based technology）」[注22]が人類の生活の変化に直接的かつ広範囲な影響を及ぼすようになった。

《第4節》東洋の古代世界

1．古代インド哲学

古代インドに誕生したウパニシャッド哲学は、〈宇宙我（ブラフマン）〉と〈個人我（アートマン）〉は統一されていると考える。二つが違って見えるのは、同じ山岳の嶺を異なった方面から見た場合の違いであるという。

人類は古来、法則に支配され必然によって動く宇宙と、その中に身を置きながら自分の意志で動く人間との原理的関係に悩んできた。ウパニシャッド哲学は、これについて「天と人は一体である」＝「梵我一如（ぼんがいちにょ）」という思想を掲げ、両者は別の原理に従うのではなく、統一された関係にあると考えた。この考え方は2500年以上前に遡り、紀元前8世紀から前6世紀の間に教典として書き残されたらしい。

ウパニシャッド哲学は、精神と物質の二元論に立つ西洋思想とは根元的に異なった思想であって、西洋近代の行き詰まりを打開する豊かな可能性を秘めた哲学であると思う。それは主体と客体の同一を説く禅の思想にも深い影響を与えたとみられる。

2．壮大な知の誕生～仏教

仏教は、前5世紀に仏陀が興した。仏教がウパニシャッド哲学の影響を受けて誕生したことは確実である。仏陀とは「目覚めた人」「悟った人」[注23]の意味で、仏教は「苦悩の原因は人間の中に燃えさかる欲望であり、これを断つには悟りが大事」という考えに立つ。したがって、もともとは〈人間中心〉の宗教であったと考えられる。それが大乗仏教の段階に発展すると、人間を越えて宇宙的な広がりを見せる[注24]。これは仏教の関心が人間から壮大な自然界、宇宙に向かって成長したことを意味する。

《第5節》日本の古代世界

1．仏教の伝来前

ここでは、仏教が伝来する前の日本の「知の形」がどのようなものであったかを探りたい。そのために、まず日本の古代社会で、死がどのようなイメージでとらえられていたかを取り上げよう。死は、非日常の事件である。人々は近親者の死に直面し、存在の意味を問うことになる。人々はそこで、日本の古代世界が培養した、地上と天をめぐる知識を総動員し、その限りを尽くして、愛する者の死を見つめただろう。——亡くなった者はどこに行くのか、いつ戻るのか、消滅してしまうのか。

山折哲雄によれば、古代の日本人は、死に対し、忌まわしく恐ろしいものであるというイメージの一方で、死にゆく者に対する断ち難い愛惜の念を示している[注25]。死の忌まわしいイメージは、黄泉国（よみのくに）の神話などに残された、死者が腐敗して行く描写の中に見えるという。また愛惜の念としては、万葉集の挽歌の中に、死者を葬った山や川に魂が籠り、人々はそれを雲や風の中に感じていたことが見えると記している。

2. 仏教の伝来後

日本において、知の歴史は仏教の伝来とともに始まったといわれる。仏教の湛(たた)えた精神文化が日本人の内面世界に変化をもたらしたのである。死生観もまた仏教の影響を受けた。死は、それまでの感覚的情緒的なものから、思弁的精神的な世界で論じられる対象となった。

日本人が仏教とどのように向き合って来たかを探ると、日本人の《知の形》が見えて来る。結論からいえば、日本において仏教は自然ないし宇宙論的な広がりを持つ哲学として発展した。それは例えば、最澄が著した「天台本覚論」に「山川草木悉皆成仏(さんせんそうもくしっかいじょうぶつ)」(仏性は自然界の一切に具わっている)(注26)が見え、また空海の真言密教において仏性を宇宙論的に捉え、大日如来は一木一草に至るまでどこにでも存在するという教えからも知ることができる。

奈良時代の行基(注27)の彫った仏像もまた、仏教が日本において、〈人間中心〉ではなく自然・宇宙論的な広がりを持っていたことを示している。行基の木彫りの仏には目もなく顔も輪郭だけのものがある。それはなぜか。ある研究は、日本人の心の中にはもともと森、樹木はそれ自体が神であるという考えが植え込まれていたが、行基の仏像は仏教の伝来以前のこうした古来の神と新来の仏を融合させたものだとの見方を示す(注28)。江戸時代の円空が彫った仏像にもそれと似たものがあり、人々から広く受け入れられていた(注29)。広く受け入れられたのは、それが日本人の信仰の原風景を物語っているからではないか。

仏教の伝来後、仏教思想は古来の神道に影響を受けて元の仏教とは異なる、日本特有の変異を遂げたとの指摘がある。この見方は、縄文期の宇宙観を色濃く反映する神道が日本人の心的世界に深く入り込んでいたため、それが伝来後の仏教思想に投影したと考える(注30)。神道が仏教と融合し、仏教の形を変えたと考える学説である。日本人の〈知の形〉を考察する場合に、見逃すことのできない指摘であると思う。

《第6節》知をめぐる現代の課題

1. 人は星屑、人は波動

万物一切が宇宙誕生の時に起こった大爆発(ビッグ・バン)によって生み出され、星がその破片であるとすれば、地球に棲み付いた人類もまたその破片の欠片(かけら)であり、星屑といってよい。さらに、全宇宙が波打つ波動の現象だとすれば、人類もまたその波動の一部ということになるだろう。そうだとするなら、宇宙を観察する人類の行為は、星屑が宇宙を観察することを意味する。宇宙外の何者かが宇宙を観察しているのではない。天体が天体を観察している。宇宙は自身を観察している。

このように考えて行くと、人類だけが自然現象から隔たった固有の存在と考えるのは根本的に誤った思想ではないだろうか。地球の表面に張り付いた人類だけが自然界で特殊固有の存在であるなどあり得ることだろうか。しかし、人類は西洋中世から近現代に至るまで、自身を広大な宇宙の中で特別な存在であると考えて来たのである。

キリスト教に強く影響を受けた西洋思想は、まず生き物を物質から分離し、次に生き物の中から人だけを選別した。その後、そこに人類だけの小宇宙を括り出し築き上げたのである。こうした思想形成は都市化の進行と結合していたであろう。キリスト教自体が都市化から生み出された一つの思想である可能性がある。

さて、西洋史の舞台において、人類はこうした分離と選別の作業をあらゆる学問、宗教、文化などの領域で絶え間なく続けて来たのではないだろうか。そうした中において、歴史とは人だけを自然から切り離し、またその切り離しによって作り上げた舞台劇場であった。確かに感情論として、人類が自身の生命やそこに連なった人々を愛おしいと思い、そこから自分たちを尊ぶ思想が生まれ出るのはよく分かる。しかし、人類と宇宙の関係を冷静に見つめる科学的視点からいうならば、人類だけを特別の存在として扱うことが適切かどうかは別の問題である。愛は盲目であるという。自身に対する思い入れが強いほど、人類は自身の存在と宇宙との関係を冷静に観察できなくなるのではないか。人だけを無反省に特別視、神聖視するならば、そこで創り出される思想は盲目と傲慢さの故に肥大化し歪んで行くだろう。それは宇宙の真実からはおよそかけ離れた誤謬の哲学、幻想を生み出すかも知れない。そうした知のあり方は単に無益なだけでなく、人類を危険に陥れる可能性はないだろうか。

人間中心主義は、自由で開かれた近代市民社会の基礎であり、豊かな人間性を尊重する思想として歴史の上で評価されて来た。現代世界においても、人間中心主義は人間を究極の価値とする理想を表現した政治思想、社会原理として正当化されて来た[(注31)]。しかし、それは一方で、人間の自己中心主義、主我主義を極大にまで肥大化させた、歪んだ表現である可能性を秘めている。

再び繰り返すが、愛は盲目である。盲目の自己愛の故に、人類が自身の立ち位置を見誤って人間存在を冷静に見つめる目を失ったとすれば、自己愛はその意図に反し、人類を滅亡へと追い落とすかも知れない。人類が自らを滅ぼす道をまっしぐらに突き進んでいる可能性は誰にも否定できないと思う。

2. 近代の限界

「近代的」とは、近代において生成された原理に従って人と社会が作り変えられて行く過程を表現する。そこに作用する近代的な原理とは、宗教から解放されたという側面も重要だが、生産関係の飛躍的な拡大によって商品経済が人々の生活の全面を包み込んだという側面も重要であると思う。加えて、近代的原理において見逃せない点は、繰り返し述べているように、人間存在を自然から分離し、自然を知の征服対象としてしか見ていないことである。これは、人類生活の都市化がもたらした原理である。

現代世界は、近代が極限、限界的な状況にまで展開し、近代の極大化として出現した空間である。人々は商品経済に支配され、個に分解されて孤立し、社会内部の人と人の関係は経済的、生産的関係に尽きるものとなった。これもまた都市化が追いつめ、強制した究極の人間像である。

太古以来、人間存在は闇の中にあった。それでも、人々は自然に守られていた。いま近代化は人類と自然を離間させ、その距離を急速に拡大しもはや手に負えないほどの状況となった。人々は、悩み続けた自身と自然の関係を見失い、立ち尽くしている。人間存在をめぐる闇はそれだけ濃くなったと思う。

3. 哲学の復活

(1) 現代と哲学

現代は「哲学復活の時代」といってよい。復活の背景に、今まで当然とされた物事が時代の質的転換により当然ではなくなったという事情があると思う。これまでの考え方では間に合わなくなり、物事を根本から考え直す必要が高まったためといってもよい。哲学は常に未知とともにある。未知と謎が深まれば、哲学はさらに重要性を増すであろう。

人間社会には、いつの時代も時代に受け入れられた支配的な物の見方や思考の枠組みがある。それをパラダイムという。社会が大きく変化すると、人々はその変化を解釈し、新たな立ち位置を決めてそこで生き続けるためにパラダイムの組換えが起こる。

現代世界では、そうしたパラダイムの組換えが進行しつつあるように見える。その背景には、二つの事情が働いていると思う。一つは、広大な宇宙の構造の解明が進み、遠からず宇宙の果てが捕えられる日が視野に入って来たこと、いま一つは遺伝子の組換えなど医療技術の進歩により人間存在の境界線ないしは限界線が不分明となって来たことである。はるか彼方の目線の先と足元で時代の変化が進行しつつある。

(2) 復活の背景

① 宇宙の革新的解明

これまでの宇宙論は、アインシュタインの相対性理論から導かれた膨張宇宙論、ガモフが唱えたビッグ・バン宇宙論などがパラダイムの役割を果たしてきた。そこでは、巨大な望遠鏡や電波望遠鏡の駆使によって、銀河系宇宙が島宇宙であることや無数の銀河の存在も判明した。

しかし近年、素粒子論、宇宙物理学、観測技術の躍進には目を瞠(みは)るものがあり、宇宙の構造や原理をめぐる解明は急速に進んでいる。宇宙に充溢する暗黒物質（black matter）の解明もその一つに数えられる。

こうした時代に、人類がこれまで長い歳月にわたって蓄積した知見の土台がグラついて来たとしても不思議はない。宇宙をめぐるパラダイムは遠からず地殻変動のような変化を起こすであろう。そして、その変化はやがて、私たち一般の生活者の脳にも投影される日が来るはずである。

② 医療技術の高度化——人の境界線

哲学復活の背景として、いま一つ考えられるのは、生殖や移植などをめぐる医療技術の進歩によって、人間というもの（＝人間存在）の境界線がはっきりしなくなったことである。

すでに、他人の臓器で延命する人々がいる。臓器提供は日本でも、法の改正や海外での移植をめぐって、しばしば議論の対象となる。また、子供の生めない女性の同意の下に夫の精子を他の女性の子宮に入れ、妊娠させる例は珍しくなくなった。さらに米国では、復活を願って死後冷凍庫に入る人々がいる。未来社会で再生医療の技術が進み、死者の再生方法が開発されたら命を復活させる契約を結ぶ専門の会社が出現したのである。他にも、クローン人間の技術が注目される。どんな刑罰によって禁止しても、やがて社会にクローン人間は出現するに違いない。いやすでに、世界の片隅に実在するのかも知れない。わが子や恋人など愛する人を失った者は、同じ顔の人間に会えるならとカネを惜しまないだろう。それを引き受けるプロが待ち構えれば、ビジネスが成立し、そこに市場が生まれる。

(3) 新しいパラダイムへ

以上みたように、宇宙の構造と人の生命の限界線をめぐる科学の著しい進歩は、これまでのパラダイムで理解できる範囲を超えつつあるように見える。より拡大した領域で通用する真実を知るためには、知の新しい視点、座標軸が必要となる。哲学復活の背景には、現代世界のそうした事情があると思う。新しい物語の始まりである。

4. 自然への回帰

(1) 人間中心主義の結末

人類は〈人間中心主義〉を正当化し、自然の中に生きる存在であることを忘却して近代を駆け抜け、ついに21世紀に到達した。現代世界の最大の課題は地球を覆い尽くした自然環境の汚染と破壊である。オゾン層の破壊、気候変動の異常、温暖化は自然を忘れた人間中心主義の活動が生んだ無残な結末である。

自然破壊は現代世界だけの現象ではない。ギリシャには今も、前13世紀のトロヤ戦争の時に猛烈に進んだという森林伐採の爪痕(つめあと)が残り、石灰岩の流出によって死の海と化したエーゲ海の海底が人間中心主義の恐ろしさを見せつけている。エーゲ海にはその美しさにも似合わず、魚が泳いでいない。その惨めな荒廃は古代ギリシャを超え、はるか21世紀に至って地球規模に達するまでになった。

(2) 軍事的覇権とヨーロッパ思想

人間は軍事力の勝る者の服従命令に従う。殺されたくないからである。文明を築いた後も、人々が暴力の強者の側に付く性向に変わりはない。しかし、表舞台と裏舞台では見せる顔が違う。さらに、軍事力の強弱の関係が変化するのに応じて、去就を変えるだろう。これは欧州、中国さらには日本の戦国時代など歴史上よく見られた行動である。

ヨーロッパは長く地球上の軍事的覇者であった。他に先んじて、鉄製の武器を発達させたことがその主な理由である。ヨーロッパは、鉄製の武器を揮い軍事的政治的に圧倒的な影響力を確保することに成功したのである。

軍事的強者は強いことに飽き足らず、やがて「美しい」と評価されることを要求する。覇権の永続化のためである。覇者は、正当性の獲得によって支配体制に「美しい」装いをまとわせることができる。要求された側は、やがて強者を文化的にも優れた存在として看做すようになって行く。歴史を振り返ると、軍事の覇者は例外なく、最後には文化芸術の装飾品を他国に押し付けている。その代表格は言語である。

こうして、ヨーロッパ世界は西洋で優勢な思想として発展した〈個人主義〉〈人間中心主義〉を正当化し、地球規模でそれを拡大することに成功する。しかし、現状を見て明らかなとおり、その結末は回復できないほどの自然破壊であった。その期間が長期に及んだために、回復はもはや手遅れであるかも知れない。現代人は「自然を征服できる」などという考えをとうに捨て去るべきではないか。それは天に唾する思想であり、己の抹殺に通じる道ではないだろうか。

5. 文明の行方（ゆくえ）

人類は人間中心の思想を捨て切れない一方で、現代世界には全く異なる一つの視点、思想が確かに広がりつつある。古代から続いた都市化が森の消失を招き、文明を危機に陥れつつあるという危機意識である。都市化は文明を生み出したが、その都市化が文明を破壊する。そのありさまを人類は現代の舞台で目撃している。自然界の逆襲にも見える。

都市化は古代において最初の文明を生み出し、文明は現代の舞台で極限まで拡大した結果、人類と世界を破壊する手前まで押し寄せた。文明の自殺とも呼ぶべき状況に見える。

《第7節》現代の知を考える

1. 人間を手段とする思想

現代の知を考える上で、「人間を手段と考える思想」の問題を避けて通ることはできないと思う。「人間を手段と考える思想」とは、少数の支配者に利益を独占させ、しかもそれを固定化するために、多数者をその手段と考える思想である。それは独裁体制を正当化し美化する。さらに、独裁の思想は戦争を引き起こすだろう。戦争となれば「手段でしかない人間」が多数存在するのは少数者にとり好都合である。それだけ、戦争を開始するハードルは低くなる。

知は発生の初めから、人と集団の利益のためにあった。知は公共財である。一方、人類は一つの種として結合している。そうであるならば、知は生存する多数の人々に富と喜びを分け与えるものでなければならない。

カール・ポパーは著書『開かれた社会とその敵』の中で、思想の中には人類の敵と看做すべきものが存在すると書いている(注32)。敵と味方を区別する基準は「経験科学的言明とそうでないものを区別する「(境界設定の原理としての)反証可能性」であるという。それは、言明は反証可能である場合に、そしてその場合のみ、経験科学的であるという考え方である。経験科学とは、対象をありのままに観察、記述、分析し、それによって原理や法則を解明しようとする学問のことである。それは神学が唱える、感覚と経験を越えた世界を論じるものではない。ポパーによれば、反証可能であること、つまり経験科学的であることによって思想は初めて人類の味方になるという。

独裁と専制は決して過去のものではない。現代世界にも、複数の独裁と専制の国家が現実に存在し、多数の人々をその支配下に置き圧迫している。

北朝鮮に拉致され、そこの収容所で24年もの間拘束され、日本に戻った被害者の一人は、次のように述懐している。「車のハンドルを握ると、今も時々、このままどこにでも行けるんだな、と思うことがあります。北朝鮮では監視付き、移動の自由も行動の自由もありませんでしたから。」その人は続けていう。「たった一つ、北朝鮮でも自由にできたことがあります。それは、考えることでした。」どんなに厳しく拘束された状態にあっても、人は自由に考え、思想を持つことができる。だからこそ、権力者は恐れるのである。どんなに弾圧し拘束しても、人は考え、思想を持つことができる。権力者が恐れるのはそうした自由である。今も新疆で、罪もない一般のウイグル人が100万人、当局が危険と看做した人が50万人、合計

150万人もの人々が収容所に閉じ込められている。独裁と専制は、歴史の記憶にだけ残された遺物ではない。現代世界においてもなお、人々を弾圧し抑え付するために活発に力を揮っている。

中国政府は、新疆ウイグル自治区に設置した収容所は職業訓練所だという。しかし、そこを出る自由はない。拘束されたウイグル人女性は、2022年日本で行われた講演の中で、次のように語っている。「支配者は魂が怖い、文化が怖いのです。だから言語を失わせ、思想を改造する。」

2. 民主主義と商品経済

近代市民社会は、ヨーロッパにおいて民主主義と商品経済の混合物として成立した。民主主義とは、議会制の代表者を選択する自由を市民に与える。市民に政治参加の機会を認めることによって、弱者を救い上げる方策を探る政治システムである。これに対し、商品経済はあらゆるものを商品化し、取引を可能とする社会である。そこでは、富の集中が進行し放置されることによって、強者が経済的に際限なく強靭化することが容認される。

歴史の発展とともに、多くの国々で民主主義と商品経済は共存し、現代世界においては当然のシステムであるかのように定着した。しかし、二つのシステムは相反する理念の上に立つ。すでに多くの人々に認識されつつあるように、政治上の弱者救済の理念は経済上の強者優先のシステムによって蚕食されつつある。こうした状況は、今後も確実に進行するであろう。それはどこに落ち着くのか。共存が崩壊する可能性もある。

人類の歴史は、少数者の横暴から多数者の利益を擁護するための闘いとして展開された。少数の横暴を抑止し、多数を救済するための設計図が文明であり、文明とは「暴力の強者」に対し「知の強者」を尊重する風を育むものであった。それについては第一章に述べた。しかし、人類の半身はなお暴力を信仰する。国連が虐殺と破壊を停止できない現実がそれを証明している。

こうして、暴力と文明の緊張と対立は現代世界の舞台でいまも生々しく進行し続ける。暴力と文明の間だけではない。文明の内側で、「知の強者」と「知の弱者」の緊張と対立が展開しつつある。その一例として、経済社会における生産者と消費者の利害対立を挙げることができる。ITをめぐっても、IT弱者という言葉が浮上している。その一方、知の弱者は社会システムによって容認された手段が与えられている。それは選挙における投票である。投票箱をめぐる闘いにおいて、(分断されない限り)弱者は常に多数派である。

近代初頭、ヨーロッパの封建体制と身分制は崩壊した。それは、二つの背景事情によって成し遂げられたものだ。一つは、啓蒙思想(Enlightenment, Lumiéres)である。啓蒙とは理性の光によって旧弊を打破し、公正な社会を実現しようとする思想運動で、18世紀に英国、フランス、ドイツに起こったものだ。この歴史的な運動は、個人主義・民主主義の思想的土台を提供した。もう一つは、商品経済のもたらした富と繁栄であった。商品経済の推進力は強大で、封建時代の崩壊を促進したのも、啓蒙思想よりはむしろ商品経済の力であった。

こうした歴史的経緯を経て、民主主義と商品経済が定着した現代において、少数の「知の強者」たちが、商品経済のもたらした富のlion's share(=ライオンの取り分、一番甘い汁)を獲得しつつある。商品経済は、現代世界に浸透し隆盛を極める。その中枢部分を握った「知の強者」たちによって、民主主義の蚕食は今後さらに進むだろう。

民主主義と経済的富の相克が続く現代世界において、今後新たにどのようなパラダイムが出現するのだろう。さらに、政治経済システムとしてどのような形態が定着して行くのであろうか。これもまた現代の知の行方をめぐる課題である。

《第５章》

学修の方法——どう学ぶか

「（人間は）随分と永い間どんなに信じやすい存在であったか……今やっと人間は、はなはだ遅まきながらも、巨大な自己超克ののちに、一個の不信な動物となった……」

——ニーチェ

はじめに

鎌倉時代に書かれた『徒然草』の中に、ぼんやりお坊さんの話が出て来る。仁和寺の僧侶だという。長年、石清水八幡宮（いわしみずはちまんぐう）にお参りしたいと思っていたが、ようやく機会を得て出かけたまではよかったのだが、本殿が山上にあることを知らなかったために、麓にある小さな付属の寺と社の二つだけを拝んで帰って来てしまった（五十二段）。作者の兼好法師は「すこしのことにも、先達はあらまほしき事なり」（ささやかなことにも、教え導いてくれる人はあってほしいものだ）と書いている。

一人でぼんやり学んでいると、似たようなことになりかねない。中国の論語にも「思うて学ばざれば即ち殆（あや）うし」（自分で考えるだけで、他人から学ぼうとしない人は独断に陥り危険である）（注1）と書かれている。

導いてくれる人がいないと、歩み出しから間違え時間を無駄にすることもあるだろう。例えば、図書館で本を探すのに、書架を端から端まで歩いて回っていたら肝心の読書の時間が減ってしまう。予め書籍の分類や検索の方法、書架の位置を確認しておけば作業の効率は随分と上がるだろう。もちろん、一見無駄に思える遭遇や思考が後で思いがけない発見をもたらすことがあるかも知れない。しかし、それはまた効率とは別の話である。

肝心なのは、学問の入口で基本を誤ってはならないという点である。どの学問にも約束事がある。それを入口でいい加減に扱うとどうなるか。ある分野の研究を30年もしてきた人が、学外の研究会に初めて出席し、その分野の最も基本的な用語の読み間違いをして周りの人たちを驚かせたことがあった。用語の読み方だけでなく、内容の理解も怪しいことはそこに居合わせた人たちがすぐに気づいた。自己流のこじつけで進むと、飛んでもない勘違いをする。望遠鏡を向ける方向を手元でほんのわずか誤るだけで、対象が遠隔にあればあるほど誤差が拡大し、全く別の対象を見ることになる。それと同じことである。

《第1節》心の地平線を広げる

1. 自分から動く

受け身になって学ぶだけで、自分から取り組もうとしない人は疑問を感じないし、何であれ本当の理解に到達することができないと思う。問題意識を持たなければ何事もモノにならない。教えてもらった後、疑問に思ったことを自分で考え、理解しようと努めることによって初めて、内容のデコボコが見え対象は立体化し、それによってようやく自分の物になる。問題意識を持つことはアンテナを張って探知することであり、それがないと物事の核心に迫ることはできない。ぼんやりしていると、大切なことは近くを素通りして行くだろう。

「学ぶ」という言葉は「まねる」「まねぶ」から来ている。たしかに、「学」の旧字体「學」は、壇上で二人の人が手を使いながら丁々発止（ちょうちょうはっし）のやり取りをし、壇の下にいる子供がそれを見る様子を表現している。

こうして、「まねる」から学びが始まるというのはその通りに違いない。しかし、いつまでも「まねる」や「なぞる」だけでいいだろうか。学びの段階が進んだ時に、別な姿勢、態度が必要となるのではないだろうか。先ほど引用した『論語』にも、「学んで思はざれば即ち罔し」と書かれている(注2)。せっかく人から学んでも、それを自分でよく考え、咀嚼するのでなければ真の理解に到達することはできないという意味だ。

2. 外国文化と日本——日本人の「思想断ち」

(1) 輸入学問の国

日本は奈良・平安朝の昔から江戸の末期に至るまで、一時期の例外を除いて、中国の文化的影響を強く受け続けた歴史を持つ。明治になると西洋、特に戦後は米国の圧倒的な影響下に入る。日本は歴史の大部分において、強大な外国勢力の影響を受けて来た国である。そうした外国勢力は、政治・軍事・文化などの面で圧倒的な存在感を見せつけていたために、日本人はまるで眩しい太陽を仰ぐようにその光を受け続けた。

そのような歴史的事情のためか、日本人は強大国の精神文化を吸収するのに忙しく、それに膨大なエネルギーを消費し、自ら思想を営むための十分な時間がなかったように思われる。事実、歴史を振り返ると、その大部分の期間において、日本人は「まねる」ことには熱心であったが、創造的に取り組む姿勢には乏しかった。人は、長く試さないままでいる所作は苦手になる。やがて日本人は外国人の頭を借用して考えたつもりになり、自分の頭で物事を考えることが不得手になってしまったように思える。

(2) 神棚と学問

輸入学問を崇拝し続けた一つの例として、憲法学を取り上げよう。

明治期の日本は、西洋法制の影響の下に、主にプロシア（現在のドイツ連邦）の憲法に倣って「大日本帝国憲法」を制定した。次いで戦後は、二発の原爆による惨劇を受けて降伏した後、米国の圧倒的な軍事的支配の軛の下で「日本国憲法」を制定した。しかし、両憲法ともただの一度も改正されたことがない（注3）。新憲法は旧憲法を改正して成立したものだと強弁する人がいるが、その主張は「木を見て森を見ない」弁明である。新憲法制定は民間人の大量殺戮――沖縄戦、東京大空襲、広島・長崎の原爆投下など――がもたらした敗戦とそれに続く連合軍の強制の下で行われたもので、ある憲法学者がいうように「ポツダム革命」の落とし子であった。それは改正ではなく、全くの新法が制定されたと理解するのが正しい。

こうして、日本は戦前戦後を通じて憲法改正をただの一度も行ったことがない。改正に手を付けなかったのは西洋から来た文物を神聖視し、ひたすらに神棚に恭しく祀り上げたためであろう。神棚に鎮座するので、手で触れることはもちろん、正面から直視することも無礼であって憚られたのであろう。日本人の精神世界には縄文以降から禁忌、物忌の伝統が生きている。そうした伝統に即して、死など非日常の出来事があると身を慎むことが求められる。憲法は国の大典であり、その制定は非日常の大事件である。神棚に手を触れてはならないと日本人は自らにいい聞かせ、自戒の感覚を強めたのだろう。

結局、戦後憲法は旧憲法を内容面で全面改正しながら、形式手続上は改正として行われたが、日本ではその法的正当性が疑われることはなかった。インドの不可触民は、カースト制の下で、穢（けが）れを理由に差別を受けて来た人々だが、日本では新旧の憲法が、そのあまりの尊さゆえに「不可触の大典」となってしまったのであろう。

戦後日本の体制が民主政治だというのであれば、憲法もまた民意によって改正されることがあって当然である。しかし、憲法学者は民主制を論じながら、憲法に手を付けることを頑なに警戒、拒絶して来た。それは紛れもない事実である。学者の領分は研究だと思うが、その領分を超えて政治を論じ続け、終に戦後80年近くが経過した。不可触の日本国憲法は、歴史上遂に世界最古の憲法の地位を占めることになった。

さらにいえば、国際法には他国が軍事占領下にある場合、占領側はその他国の憲法を制定、変更してはならないという原則がある（ハーグ陸戦法規43条）[注4]。しかし、日本の憲法学者の多数派がこの原則を取り上げ、憲法の妥当性、効力について議論したという話は聞いたことがない。なお、この議論は護憲派か改憲派かとは関係がない。神棚を正面から見る必要性について論じている。

日本人が憲法を祭壇に祀り上げて崇拝し、批判を封じて忌避してきたのだとしたら、日本人の「思想断ち」は幽玄の古代以来何も変わっていないことになると思う。そこにあるのは信仰と物忌（ものいみ）だけで、科学的検証の姿勢は欠片も見えない。

3. 自分で問い考える

(1) 学んで問う

学問は「学んで問う」と書く。歴史を振り返ると、日本人は外国で流行する学問を吸収しようとする意欲は強いが、「まねる」ことに偏っていて「問う」ことを怠ってきたように思える。これもまた日本人の「思想断ち」に関係があると思う。

学問は好奇心から始まる。そこから発見や創造へと進む。しかし、外国で生まれ、形を整えた学問を歴史と文化の異なった自国に移植しようとする場合、内容の理解に難儀することがあり、疑問や不明を感じ、ときに反論したくなることもあるはずだ。そうした場合、それに向き合いよく考えることが必要ではないだろうか。「外国ではやっている思想だから間違っているはずがない」「多くの人が良いと認めた考え方だから、それを変だと思うのは自分に間違いがあるに違いない」と考えて沈黙するのであれば、それはただの「サルまね」である。

(2) 外国の例

古代ギリシャのアリストテレスは大きな間違いを犯した。「物体が運動をやめるのは、それを押す力がなくなるからだ」。手押し車が停止するのは、押す人が手を休めた時である。アリストテレスの書いたことは、常識に適っていたので、多くの人が納得した。しかし、後世のガリレオ・ガリレイは、「押すのをやめた手押し車が停止するのは地面の摩擦があるためであり、その摩擦がなかったら、最初の一押しで手押し車はいつまでも動き続ける」ことを発見した。今日、宇宙ロケットが最初の噴射でいつまでも宇宙空間を同じ速度で飛翔し続けるのは、ガリレオの発見が真実であることを裏付けている。アリストテレスは偉大な学者であった。その偉大さのゆえに、彼が『力学』を著してから2000年もの間、全ヨーロッパの人々が彼の主張を真理として固く信じ続けたのである（注5）。外国の例ではあるが、偉大な学者にも誤謬があることを示す例である。

こんな話もある。14世紀イタリアの詩人ダンテは世界的な名作『神曲』を書き残したが、これについて西洋のある学者は「『神曲』は永久に名作として残るだろう。誰も読まないからだ」と書いている。たとえ読んだとしても、誰かの評価を丸ごと受け継ぐだけなら、作品を評価したとはいえないだろう。

(3) 知の輸入と日本人

日本人が他国から文物を輸入する際に、ダンテの『神曲』に対する評価と同じことをやって来なかったであろうか。自身で考え評価することのないまま、他国の評価を鵜呑みにして来たとすれば『神曲』の例と同じことになる。

日本は、奈良・平安朝さらには明治以降、外国の学問・文化・芸術の輸入、移植に熱心で、そのために翻訳の役割が重視された。そのことは、著者と翻訳者の名前が同じ大きさで書物に印字されることに現れている。米国や欧州では著者が大きく翻訳者の名は小さい。知的産物、知的思考をめぐる日本人の感覚や姿勢を物語る話だと思う。

《第2節》答えのない世界

高校までは教わることにいつも答えがあって、先生はその答えを教えた。しかし、大学で学修することには答えがない場合もあるし、答えがいくつもある場合もある。教える側が、実は答えをまだ見つけられずにいる場合もある。

著者が大学生の頃、1973年に始まった石油ショックによって日本経済は大きく混乱し、「スタグフレーション」(注6)と呼ばれる未経験の不況に直面していた。これは、不況なのに物価の上昇が続くという、それまで日本が遭遇したことのない経済現象であった。私は経済学のゼミで、そうした現象が起こる原因について先生に質問した。すると、「答えは難しい。それを考えてもらうためにゼミをやっている」という答えが返って来た。経済学を専門とする先生が、原因について確信を得ていないことに私は驚いた。同じような場面は、その後他の講義でも何度か経験したと思う。

実は、私たちの社会は小さいものから大きいものまで、答えのない問題に溢れている。世の中も大学も分からないことだらけで、分かっている物事より分かっていない物事の方がはるかに多い。

したがって、大学の学修に答えがないことを若者が知るということは、それだけ学修の段階が進んだことを意味する。人と社会をめぐる問題には回答の困難なものが多いという現実を知って、若者はようやく学びのスタートラインに立ったといえる。

もっとも、「答えがない」とか「いくつもある」といっても、それは主に人文科学、社会科学に当てはまることだ。自然科学では事情が多少異なる。しかし、その自然科学でも物質世界の根本原理、宇宙構造の研究などの分野では多数の論争があって、どれが正しいのか答えは確定できない。例えば、地球と太陽の関係について地動説と天動説の対立があり、今は地動説を信じる人が多いが、それは地球と太陽の二つの天体だけを（太陽を固定して）観察した場合の話である。二つの関係をより大きな広いスケールにおいて観察した場合、別な結論となる可能性は今も残っている。つまり地動説が絶対に正しいとはいえない[注7]。これは座標軸をどこに取るかという、座標系の問題である。

《第3節》大学の学修

1. 考え方を学ぶ

教える側に不動の答えがないとすれば、大学は何のためにあるのだろうか。大学で学修する意味は何か。当然にその点に疑問が起こる。これについて考えてみよう。

もともと、学修とは何のためにあるのだろう。答えを聞いて、それを覚えることが学修だろうか。小学校から高等学校までなら練習や暗記も大切な作業だが、大学の場合、基礎的な教育訓練は終えたという前提でカリキュラム（教育内容）が組まれている。大学で知の鍛錬を受けるのは、やがて社会に出てその現場に毎日押し寄せて来る事象（物事や出来事）に対応するためだ。そうした事象に向き合い、何が起こっているのかを理解し、さらに問題が何かを発見し、その解決方法を探る。知の鍛錬は、そうした問題の発見と解決の能力を身に付けるためであろう。

いま事象と書いたが、社会で実際に起こる事象は常に未経験で新しい。似たような事象はあるが、二つとして同じものはない。それにどう対応するか。大学の学修を通して獲得する知は、そうした唯一無二の出来事に対して「汎用性」があるものでなければならない。汎用性とは、さまざまな場面に応用が利き役立つという意味だ。

2. 社会の負託と大学

社会や企業の現場が「発見」と「解決」の能力を持つ人材を求めているのだとしたら、大学はそれに的確に応えなければならない。大学で学修する内容は、当然にそれにふさわしいものであることが必要である。それが社会の負託に応える大学の役割である。

答えを教えなくても、大学で教壇に立つ人たちは「問題を発見」し「解決する方法」を身に付けた先輩である。さまざまな事象を前に、学生はどこに問題が潜伏し、どのように解決したらよいかを考える。教える側はヒントやアドバイスを与え、学生はそれを身近に聴く。ときに、教示された方法で調べ考えてみたら、先生とは別な結論に到達することがあるかも知れない。その場合は、二つの結論を検証し合えばよい。検証により、どちらかの側（ときには両方）に問題があることが分かるかも知れない。それについて議論を闘わせれば、共通理解さらには新たな視点を見つけることができるだろう。それが知の学修である。

以上に述べたことは自然科学だけでなく、人文科学や社会科学にも等しく当てはまる。もし違って見える部分があるとすれば、それは学問領域の性格によって進め方に多少の差があるためだ。

3. 大学の教育目的

大学の目的は、答えを教えそれを暗記させることではない。答えにたどり着くための「考え方」や「考える方法」を身に付けるということに尽きる。学修の目的は、物の見方・思考する力を養うことである。それを様々な事象を通して学ぶ。こうした知の鍛錬こそ学修の真髄でなければならない。

大学で学ぶ若者には、「すぐ役に立つ知識」よりも、むしろ「役に立たない（ように見える）知識」を吸収するように努めてほしい。答えにたどり着くためのプロセスや筋道を学ぶことが大切だ。それによって、実際に答えを出すのは学修者自身である。

大学を意味するUNIVERSITYは語源的にUNIVERSALとつながっている。さらにUNIVERSALは「一般性」「普遍性」に深く関係する。大学は、狭い地域や特定の職業集団だけに通用する知ではなく、そうした地域や集団を越え、世界に通用する知を学ぶための場である。

4. 学問に王道なし

「学問に王道なし」という。これは学問を修めるのに、楽な方法や近道はないという戒めである。学問は地道に読み、聴き、書き、考えることが大切だ。これは学問の基本動作である。しかし、面倒を避けてすぐ結果を手に入れたいと思う人たちがいる。これまで基本動作を怠って来たと思う人は、基本動作に立ち戻らなければならない。そうでなければ、学問の山脈を越えて行くことはできない。

学問は英語でdisciplineという。このdisciplineは、他に「鍛錬、訓練、試練、しつけ」などの意味もある。学問に至る道、知を身に付けるための過程の大切さをよく教えてくれる言葉だと思う。学問は厳しい。知に対して「リテラシー」（知に対する理解力）を手に入れる道は容易ではない。

しかし、それにもかかわらず、ネットを見ればニュースでも情報でも何でも簡単に手に入ると勘違いしている若者たちがいる。しかし、そこに出ているのは、誤り、未確認がきわめて多く、何より重要な点は、記事の内容が希薄であることだ。その点が良書を手に取り、じっくり読む場合とは大きく異なっている。

一例を挙げると、山口県阿武町で2022年に町内全域の老人に送るはずの4630万円を一人の若者に送る誤送金事件が起こった。若者は「間違った町が悪い」といって金の返還に応じない。日本中が大騒ぎとなった。しかし、事件はいつの間にか沈静化した。全額返したという。最初、「自分は悪くない。金は返さない」といっていた男から、町はどんな手段で取り戻すことができたのか。ネット記事には書いていない。その点に関心を持たない人も多いので、ネット記事も取り上げないのかも知れない。しかし、少し注意深い人であれば、どんな手段によって解決したのかという点に関心を持っていいはずである。事実は、男と送金を受けたネット・カジノは返金せざるを得ないところまで追い詰められたのである。男は税金を滞納しており、町はその差押手続の一環として回収を成功させたのである。

本を読む場合は、時間がかかっても、分からない用語は調べながら内容を理解するように努めることが大切だ。誰でもできる小さな辛抱である。小さな日常の積み重ねが大きな知の財産を与えてくれる。地道な作業が教養に接近して行くための最短の方法である。

楽をせず逃げず、遠回りに見えても、根気よく続ける。それを大切にしよう。そうした継続と積み重ねの中から豊かな教養に至る道筋がきっと見えて来るであろう。学問に王道なし。

サッカー日本代表の元選手・中田英寿さんは、母校の講演会で「好きなことを見つける方法は何ですか」という質問を受けて次のように話したそうだ。「あなたはそれを見つけるために今何をやっていますか。まだ見つけられないのは、まだ何にも取り組んでいないせいではないでしょうか。チャレンジする以外に、近道はないと思います。」

5. 学問は超克される宿命を負う

中国に「青は藍より出でて藍より青し」という故事がある。これは荀子の言葉で、意味は「藍から採取した青色は元の藍よりも青い」ということで、弟子が師匠より優れていることをいう場合に使う。「出藍（しゅつらん）の誉れ」という言葉もある。

学問の道、知の世界においては、教えられた側が教えた側を超えることがよく起こる。それは学問の常道であり、自然な望ましいことである。私が学生の時、一人の先生が自分の指導者であった高名な学者の名を挙げて、「あの先生は自分の師匠を批判しなかった。そのために学問に大きな遅れが生じた。私は完膚なきまであの先生を批判したので、今後10年間は乗り越えられないと思う。」と語るのを聞いた。私は、プロとして学問に携わる人の厳しさを肌で感じ、思わず嘆息を洩らした。

先人の築いた学問は、やがて後進によって乗り越えられる。長く乗り越えられることのない学問はやがて廃(すた)れ、いつかは人々によって見捨てられるであろう。学問はその生命を維持しようとする限り、超克されなければならない宿命にある。

《第4節》教養主義

1. 知の一般性・普遍性

人間の知見には、狭い地域、特定の集団でしか通用しないものがある一方、地域や集団を抜け出し、広く外の人々にも受け入れられて世界に拡がって行くものもある。世界で通用し多くの人々に支持されるようになれば、その知は一般性・普遍性を獲得したことになる。例えば、今も世界のどこかに「女は学校に行く必要がない」「貧乏人に選挙権を与える必要はない」という考えを正しいと信じる人々がいる。しかし、そうした物の見方や考え方は「オラが村」でしか通用しないもので、現代世界で通用する知ではない。

ところで、知が「公共財」として人々に承認されるためには、それに足るだけの内容を具えていなければならない。教養はこの点に関係する。教養とは知の一般性・普遍性と不可分に結びついたものである。ここでは「教養とは社会及び世界に関する一般的普遍的な知見」と定義しておこう。

ヨーロッパの中世及び近代においては、将来の指導者を育成するための学校でギリシャ語とラテン語の教育が行われた。これは言語の習得を最終の目的としたものではなく、ギリシャ世界、ローマ世界に蓄積された歴史、哲学・思想、政治、文学などに関する多くの書物を若者に読ませ、吸収させるのが目的であった。そうした書物の中には、学問と政治、芸術、人生に関する豊かな知見が貯蔵されている。

そうした学校制度を支えたのは、古典古代の知の空間に後世に生きる者を豊かに教え育てる知恵があるという認識、考え方である。時代も土地も、さらにはそこに住む人々も違うはずの社会で、遠くギリシャ世界、ローマ世界に学ぼうとするのは、知の一般性・普遍性に対する確信と信念がなければできないことである。

人類が歴史を通して切り拓き獲得した知の中には、十分に身に付けることによって、時代を見抜き、進むべき方向を指し示してくれる、豊かさの源泉のような知恵がある。そうした知的豊かさの栄養源、滋養に育まれたものが教養である。英語で「教養」はcultureという。cultureは「耕作」「栽培」という意味もある。土地に手を入れ耕作して刈り取る収穫物と、知的教養の間には相通じるものがあると思う。

2. 教養と技能（skill）

(1) 役に立つ／役に立たない

若者の多くは、社会に出たら実際に役に立つことを教室で勉強したいと思っている。特に入学直後の学生に多いかも知れない。役に立つ知識を身に付けて就職を有利にしたいという、その気持ちはよく分かる。

しかし、読み書き・そろばん・パソコン・英会話のように、教えてもらったらすぐ使えるものだけが「役に立つ」知識であろうか。ヨーロッパ中世の歴史学や言語学、社会学や宇宙物理学、数学は、企業の営業や事務の仕事をしたいと思っている人にとっては「役にたたない」学問であろうか。「役に立つ」「立たない」という評価に関しては、すぐに役に立つ知識はすぐに役に立たなくなるという人もいる。

知識の中には実は「役に立たない」ように見えて、じわりと脳髄に染みこんで行き「物の見方」や「考え方」に影響を与えるものがある。もっとも、そうした知識は効果が目に見えにくいために、学修した本人も自分の進歩に気が付かないことが多い。こうして、知識には、すぐに使えて即戦力になるものと、目には見えないが「物の見方」「考え方」に影響を与え精神を養ってくれるものとがある。

ここでは、大まかな分類だが、すぐ役に立つ知識をskill（技能）、物の見方や考え方を養ってくれる知識を教養としよう。skillは、時代の変化によって使えなくなる場合がある。例えば、パソコンは進化が速く、5年前のパソコンやソフトはもう使えないことが多い。これに対して教養の場合、汎用性、弾力性があり、深い知見であるほど時代が変化してもなお有効に働くだろう。

教養は生命力が強く、寿命が長い。古典と呼ばれる学芸は、こうした教養の宝庫である。優れた古典は、遠くギリシャ・ローマ、唐、奈良・平安朝に誕生した書物でも、読む人に夏日の下で冷たい湧き水を得た時のような涼感を与えてくれるだろう。

(2) 目に見えないものを捕える

教養を身に付けて得られる強みの一つは、他人が見失っている事に気づくことがあるという点だ。見えにくい所に意外な問題が隠れている。それが発見できる。さらには、その問題の解決方法が見える場合もあるだろう。

それは例えば、ビジネスの現場では他人に一歩先んずる、他人の優位に立つということを意味する。経済活動以外にも、政府の情報操作や、世論の落し穴などに気がつくかも知れない。「役に立たない」知識の効用はそうした所にある。

人はどうしても「目に見えるもの」に気を取られるが、役に立たない知識は「目には見えないもの」の大切さを教えてくれる。

《第5節》知の方法

1. 論理と論証

学問は《論理》を追求する。誰かが何かを主張しても、それが真実かどうか分からない場合がある。主張が多くの人に支持されるためには、それだけの根拠、理由が必要だ。それによって初めて、主張は説得力を持つ。説得力とは筋道であり、つまりは《論理》が生命となる。論理的でない物の考え方は、当人にとってはどんなに正しく思えても他の人々はそれに納得しないだろう。

さらにいえば、誰もが納得するような普遍的論理は法則性と結びついている。ある場面には当てはまるように見えても、条件が同じ別の場面で通用しなければ、それは論理的ではなく、つまり学問的ではない。

例えば、経済政策の採用において、最良の対策を見つけ出し実行するためには、人々の活動、現象を観察してパターン化し、それを法則化して説明することが必要である。それによって、一つの主張は同じような場面に幅広く有効に当てはまることになり、つまりは一般的普遍的な妥当性を獲得する。

ここで、一つの例を取り上げる。かつてブームとなった書物の中に、太平洋戦争中の日本軍がなぜ対米戦に失敗したかの原因を追究した『失敗の本質』というものがあった。そこでは、兵力の逐次投入が最大の敗因として挙げられていた。米軍は圧倒的な物量、兵力の投入によって、島嶼部（とうしょ）を防衛する日本軍守備隊を粉砕撃破できたという。これに対し、日本軍の側は、例えばガダルカナル島を奪還する戦闘において、兵力を小出しに追加し続けたために、それが各個撃破の対象になったのだという。しかし、米軍は第二次大戦後、ベトナムやアフガニスタンで太平洋戦争をはるかに上回る大量物量作戦を展開したにもかかわらず、闘って敗れ、敗走する結果に終わった。米軍の戦法はゲリラ戦には通用しなかったのである。これは、逐次投入で敗因を説明する一方、圧倒的な兵力と物量で勝因を説明する分析手法の限界を示している。その理論の妥当範囲は限られ、法則化は拒絶される。十分に緻密な分析を用いずに、政治と歴史の世界で法則化、一般化を試みるのは容易ではない。ことに太平洋戦争のように、すでに勝敗の出た事象を「後出しジャンケン」で裁く場合、冷静な分析が後退し、結論が初めから決まっていること（＝結論ありき）になりかねない。

2. 方法と対象

学問の研究は、方法を大切にする。方法はいい加減なものとならないように、予めよく考えた上で決めなければならない。方法が違うと、見える物は違ってくる。だから、方法は対象を決定付けることになる。このことは、天体望遠鏡を使うのと顕微鏡を使うのとでは、見える物（対象）がまるで違ってくることを考えれば容易に分かる。

社会を観察する場合でも、例えば日本経済の現状を読むために、労働力の変化量や流れに注目するのか、通貨又は商品のストックやフローを観測するのかによって、経済全体の姿は別に見えて来るだろう。それはちょうど、富士山を異なる方角から見る場合、同じ山なのに姿や形が違って見えるようなものだ。

山の形のついでに書くと、会計学では借方・貸方の数字がぴたりと一致する。どうしてそうなるのか、不思議に思う人がいる。一致するのは、同じ山（＝取引）を別な方角（運用、調達）から見ているからである。取引世界の同じ現象を見ているといってもよい。同じ山、同じ現象を見ている、と書くと、「借方は資産、貸方は負債、純資産だからまるで違う、同じではない」と思う人がいるかも知れないが、同じ取引を資産の運用（投資）と調達の観点から見ているだけである。つまり富士山を山梨側から見るか静岡側から見るかの違いである。形は違うが、同じ山である。遠近の違いで、大きく又は小さく見えるだろうが、高さは同じなので数字は常にぴたりと一致する。

もう一つ例を挙げるので、よく理解しよう。銀行通帳にお金が10万円入っていて、そのうち5万円はアルバイトで稼いだ分、残りの5万円は親から借りたとしよう。半分は借金だから負債、残りは自分のものなので返済不要の純資産である。借りたのかバイトで稼いだのかは、どこから金が来たかという由来、大げさにいうと歴史である。これをお金の調達源泉という。調達された後、現在通帳に10万円が入っている。それは自由に使っていい資産だ。半分は借金だが、10万円は自分の資産となっているので自由に使っていい。

3. 概念

学問では概念という用語をよく用いるので、ここで触れておこう。観念という用語も似たような意味で使われる。私たちは日常「何か」について話す場合、脳内に「何か」の像やイメージを思い浮かべているだろう。例えば犬。脳内には犬の像が浮かぶ。犬に限らず、脳内の像に関して使用されるのが観念と概念だ。観念はより心理的、概念はより言語的な結びつきが強いとされている。

私たちは、物事の中心的な特徴を抜き出して概念を作り、それを思考の組立ての時に素材として使っている。概念には、そこに含まれる内容を意味する「内包」、その適用範囲を意味する「外延」がある。人という概念の例でいうと、内包は「社会的動物」「理性的動物」など、外延は「その特徴に含まれる人々」ということになる。

内包、外延は少し分かりにくいので、具体例を挙げてもう少し説明しよう。軍のエリート特殊部隊に若者を新規採用する場合、身長（180センチ）、体重（80キロ）、視力（1.8）・身体能力（柔道・ラグビーなど）・外国語（2か国語）・電気通信技術の資格などを要求したとする。この場合、特殊部隊員の内包は「それらの要件」、外延は「要件を充足した者」となる。

ところで、戦闘能力に優れた兵士を確保するため応募要件を引き上げると、それだけ適格者は減る。そこで、戦死者が増えた場合などに、要件を身長・体重に限定し他の要件を外して対象者を拡げ、何とか人員を確保しようとするだろう。この場合、特殊部隊員の概念は大きく変化し、内包は縮小、その反面で外延は拡大することになる。

4. ストックとフロー

学問ではよくストックとフローの概念が用いられる。主に経済学で用いられるが、他の分野でも使われるので、二つの内容を理解しておくと役に立つ。

ストックは、ある一時点における経済的な量の大きさを示す概念と説明される。ストックの原義は、「蓄え、在庫又はよけて置く物」である。これに対し、フローは、一定期間内に変化した経済量の大きさと説明される。フローの原義は「流れ」である。

これだと少し分かりにくいと思うので、例を挙げよう。人は誕生後、少しずつ体重が増える。中学生になるまでは一年に1000～2000グラムくらい、中学生になると食べ盛りなので人によって3～4キロも増える。こうした決められた期間内の変化量をフローという。大人の現在の体重は、誕生した時の体重プラス誕生後に毎年増加したフローを足し上げたものになる。それを現在のストックという。そのストックも、さらにその後毎年のフローが積み上がって行くので、だんだん大きくなるだろう。

ストックとフローは、日本経済などの規模を測定する場合によく用いられる。GDP（=Gross Domestic Product＝国内総生産）は、例えば2022年一年間の経済的付加価値の変化量を示すものなので、これはフローである。

企業決算で用いられる貸借対照表（BS=Balance Sheet）と損益計算書（PL=Profit & Loss Statement）も、ストックとフローに関係がある。BSはストック、PLはフローを示す。人の健康診断書は一種類しかないのに、企業の「健康診断書」に二種類あるのは、両方そろわないと企業の財産状態、業績を読むことができないためだ。

例えば、「X社が5000万円の赤字を出したが、経営に対する影響はどの程度か」という設問があっても、これだけだと回答はできない。なぜなら、赤字5000万円はフローの数字だが、それが会社にどれだけの影響を及ぼすかはストックを確認しない限り判定はできないためだ。同じ5000万円の赤字でも、純資産が1兆円もあるような大銀行と1000万円しかない小規模事業会社ではその影響は全く違う(注8)。

5. 思考の過程~抽象と捨象

複雑な現象を観察する場合、もつれた紐を解くように、又はレントゲンで人の身体を透視するように、「正体」を見通すにはどうしたらいいだろう。いま「正体」と書いたが、例えばレントゲンの場合、技師の目前に見える身体もその人の「正体」で、透視した身体だけが「正体」ではない。放射線を当てるのは、必要な部位だけを透視するためで、一つの目的がある。その目的に応じてレントゲンが手段として利用される。

私たちは何かを考察し対象に迫ろうとするとき、思考を手段とする。その思考の過程で用いられるのが、抽象と捨象である。抽象と捨象とはどういうものか。例えば、「人」という言葉がある。これは男と女を抽象して得られた概念だ。世の中に男と女はたくさんいるが、「人」はいない。生まれたての赤ちゃんも老人も、たしかに男又は女である。それなら、男・女を含む一方でそれとは異なる「人」という概念は何だろうか。

男と女の特徴を頭の中に浮かべ、異なる特徴を取り去って省略して行くと（捨象）、最後に共通の特徴だけが残る。共通点だけが残る段階まで省略し続ける、と言い換えてもよい。この流れ（プロセス）を反対側から見ると、（異なる特徴を捨て去る作業と並行して）共通の特徴だけ抜き出す（抽象）作業になっている。こうした捨象、抽象の作業の結果、最後に出現するのが男女とは異なる「人」である。

私たちは、日常生活の中でも、物事を理解するためにこうした作業を常に繰り返している。普段それを意識せず、気がついていないだけだ。学問的な分析をする場合、それを意識的に行う。複雑な社会現象を理解するためには、思考の過程で抽象、捨象の作業を意識的に行うことが必要となる。

6. 山歩きと地図

（1）山と地図の関係

いま説明した抽象と捨象をよく理解するために、山と地図の関係を考えてみよう。

山歩きで使う地図は、山や森、湖、川などの位置や形状を記号や絵、色彩を使って示している。実際の山には、無数の樹木、草花、石ころ、土や泥があり、また動物が棲んでいるが、そうしたものはすべて省略し、地図には載せない。色彩も実際とは違う。これが捨象だ。捨象は、人の知覚に入るさまざまな物事の中から、ある部分を捨て去るという意味である。認識された対象から、捨てる部分と拾う部分を区分けするといってもよい。

捨てる作業の一方で、登山道や雪渓、沼地などは残す。さらに、目には見えない高度（海抜）などが書き込まれる。実際にある物を省略し、ないものを記入する。これは、地図の目的に沿って有益な情報を書き込むわけだ。これが抽象（抜き出す作業）である。

こうして、地図は目的に必要な情報だけを取り出すのだが、実際の姿をそのまま抜き出し載せるのではなく、単純化し記号化することが行われる。単純化や記号化は地図によって違う。観光地や商店街の地図の場合、距離や位置をわざとズラし変形（デフォルメ）したものもある。こうした地図の場合、現実とはだいぶ違うのだが、それがかえって見る人に分かりやすい。一部は捨て、必要な情報は単純化した便利な道具、それが地図である。

(2) 地図と学問

社会科学は、複雑な社会現象（登山に向かう山）を解釈するために、地図作りと同じことをやっている。地図にあたる理論のことを「モデル」と呼ぶ。例えば、経済現象を理解するために、計量経済モデルが使われる。計量経済とは数量的な成果を重視する経済学だが、国民所得や消費の数量を導くために数式を用いる。その雛型の数式が計量経済モデルである。

社会科学とは結局、社会現象を科学的に観察し解釈するために、モデル化しそこに脈打つ法則を探知する学問である。人々が暮らす社会の内部で発生し、ゆらめく現象をどう記述したらよいのかを探る。現象をそのまま丸ごと理解することはできない。山にある物を全部地図に収め切れないのと同じだ。だからモデル化し、捕捉しやすくする。

例えば、経済が不況に陥れば、失業者が増え、人々は生活に困り、国は税収が減る。若者は教育の機会と希望を同時に失うだろう。学問は、そうした混乱の原因を分析し、対策を探り出して、人々に幸福をもたらすために行われる。医学は人の身体を対象に行われるが、社会科学は人と社会を対象に不幸を減少し幸福を増進するために行われる。

7. 現象の解明——単純化と理論

地図は現実と異なると書いたが、現実と違うから分かりやすい。現実と全く同じ姿だと、ワケが分からなくなり、地図を手に持ったまま迷子になってしまうだろう。第一、同じであるなら地図を持つ必要はない。現実の姿というのは、山でも社会現象でも、複雑に入り組んでいる。さまざまな要因が絡み合い、複合し、相互に影響を与え合い変化する。しかも、社会の姿は時代、国ごとに異なるだろう。同じ国でも、地方ごとに要因の組合せは異なる。

複雑な現象だから、一度に全体を掴み出して解釈するのは難しい。そこで、約束事を決めて、当面要らぬものを取り去って単純化し、分かり易くして組み換える。単純化の作業では、必ず何かを捨て去っている。当面不要なものは捨て、必要なものだけを抉(えぐ)り出す。

登山地図は、山や森を歩くための拠り所として作製される。目的が内容を決めている一つの例だ。地図と同じように、未知の領域に踏み込むための道具として利用するのが理論である。山と地図の関係は、ちょうど現象と理論の関係と同じだ。

《第6節》学問の分類

1. 自然と社会

私たちの周辺で起こる現象は、大まかに自然と社会の領域に分けられる。

それが西洋で発達した学問の伝統的なやり方である。気象や天体の運行などは自然現象に属し、政治・経済・社会の問題は社会現象に属する。人や社会に関わる事柄でも、医療や環境、人口動態などに関連した問題は自然現象に接近する。

2. 学問領域の区分

伝統的な学問は自然と社会を区別し、その区別に従って自然科学と社会科学を発展させて来た。二つは別な科学として扱われる。しかし、奥深いところで二つは関連し合っているのではないか。二つを原理的にも別な学問として扱うことは正しいであろうか。この問題は、解明されたとはいい難い状況にある。確かなことは、現代の学問の発達段階においては、両者は別な学問領域として研究されているという事実である。例えば、実験など自然科学の手法は社会科学に適用されていない。

人文科学は、広義では社会科学に入るが、狭義では人間と文化に関する科学として社会科学とは別に分類される。文学、芸術、言語学がこれに入る。なお、歴史学は学者により社会科学又は人文科学に分類される。

三つの学問領域を別な観点から表現すると、人文科学は主に人間の存在と思想を対象とし、社会科学は人間集団の組織・機能、さらに自然科学は物質と宇宙を貫いて働く原理・法則の探求へと向かうと説明できる。

3. 自然科学と社会科学

(1) 原理的一体性

西洋では長く、ラテン語のscientiaが「知識」「学問」を意味する言葉として使われた。近代に入って、学問の専門化が進み様々な個別科学が成立すると、英語のscienceは個別科学（分科学）を意味するようになり、学問全体は複数形のsciencesとして表示されるようになった。

こうした経緯を経て、自然科学と社会科学は異なる対象に向かうscienceとして発展したが、この二つが異なる学問だという考え方には根強い異論もある。例えば、英国の歴史家E. H. カーは、『歴史とは何か』の中で、概（おおむ）ね次のように述べている（注9）。

――「自然科学者、社会科学者は、同じ研究の異なった部門に属しながら、ともに人間と環境の研究をしている。その違いは、社会科学者は環境に対する人間の作用、自然科学者は人間に対する環境の作用を研究するという点だ。研究の目的は、ともに環境に対する人間の理解力と支配力を増すことである。両者は、説明を求めるという根本の目的でも、問題を提出してこれに答えるという根本の手続でも同じである。」

学問は何を（対象）・どのように扱うか（方法）という視点が重要だが、カーは自然科学も社会科学も対象・方法において根本の原理は同一だとする。ただし、社会科学は環境に対する人間の作用、自然科学は人間に対する環境の作用を研究するとの指摘はきわめて重要である。同じ対象でも、方向が違えば異なる相（注10）が映し出されるだろう。それは山の見え方が方角により変化するのと同じことである。同じ山なのに、形が異なる。距離に応じて大きさも違って見えるだろう。しかし、同じ山である。

(2) 予測能力

自然科学と社会科学は、仮に学問として原理的には同じだとしても、生活者の感覚からすると、自然と社会の現象はかなり異質なものに映る。自然は厳密な法則に支配され予測が可能だが、社会に目を向けると、そこに広がる政治や経済の動きは生々しく予測が利(き)かないため、法則性があるように見えない。それをいい当てるように、政治家は「政治の世界は一寸先が闇だ」などという。社会科学は、果たして本当に科学として成り立つのだろうか。

2022年2月24日、ロシアがウクライナで大規模な軍事攻撃を開始することを事前に予知できた人は世界中どこにもいない。モスクワで戦争計画を練っていた指導者と軍の関係者以外は。さらに米英の情報機関で働く人以外は。政治学者など専門の学術研究者の中に予知できた人が世界に一人もいなかったという事実は、たとえそれがどんなに困難なものであったとしても、従来の学問研究の方法やあり方に考察と反省を迫るものであると思う。

一方、自然科学の分野では、天文学や気象学などが近年その予測能力を著しく高めつつある。気象学の場合、過去には天気の予報は外れることがよくあったと思うが、近年その精度は飛躍的に向上し、地域・時間帯に対応した予測まで可能となった。

《第7節》社会を見つめる

ここでは、社会現象を対象とする学問について、いくつかの側面から考察しよう。

1. 学問的視点

(1) 現象と断面

社会を対象とする学問には、経済学・社会学・法学・政治学・歴史学・文化人類学・経営学などの個別科学が含まれるが、個別科学は各々の科学に固有の切り口で社会現象を切り取って説明(記述)しようとする。これはすでに述べたように、同じ富士山でもどの方角から観察するかによって山容(山の姿)が変化するのに似ている。一つの社会現象は、切り口の角度や方向によって断面は異なる相を見せる。

(2) 学際科学の発展

現代に入って、欧米、日本などで産業化と都市化が急速に拡大、進行すると、社会はダイナミックに変化するようになった。学問においても、社会の複雑な現象を解明するために、古くからの個別科学に加え、新たな個別科学、さらには既存の科学と新しい科学が融合し複数の領域にまたがって発展するようになった。

現代に至っては、学問研究はさらに深化しつつ裾野の拡大を遂げ、国際経済・法社会学・金融工学・国際取引・観光地理・環境経済・気象・情報通信・海洋・地域経済・流通経済・老年・社会福祉・人口などの領域が、数十年前とは違う目覚ましい発展を遂げつつある。こうした学問を「学際科学」と呼ぶ人もある。

2. 現実の社会現象

(1) 相互依存と対立

私たちは、日本と呼ばれる生活空間の内部で生活資料を得ながら生存する。言語空間も共有する。そこでは、人々が経済的社会的な関係において相互に依存し合って生活する。依存とはいっても、対立の局面も存在する。政治的な関係においては、概ね協同関係にあるものの、内部には常に対立・緊張の関係を抱えている。その中心軸は政治状況によって大きく揺れ動く。

相互依存の関係から見ると、共有された商品経済社会（市場）において、まず企業のモノ・サービスは、資本・技術・労働力を集約して産み出され、消費者に提供されるが、こうした取引は、外国を相手方とする取引ももちろんあるものの、主に国内で活動する企業・労働者・消費者の間で行われている。また、企業や人々の払う租税や年金保険料は国内で生活する人々を相互に支え合っているし、防衛省・海上保安庁・消防庁・警察庁などが提供する内外の安全保障サービスなども日本領域内の生命・財産を守ることを目的に行われる。その他の公的サービスも、国家を単位として人々が結集して資金を出し合い、集団の力によって産み出されているものである。

こうした相互依存の関係とともに、日本社会には対立・緊張の関係もある。まず政治の舞台では、多数の政党が外交・安全保障、租税制度、経済政策、選挙制度などをめぐって鋭く対立している。政策の形成が難しくなるほど、意見対立の溝が深い問題も多数存在する。対立・緊張は政治の世界にだけあるのではない。経済的社会的方面においても、企業対労働者、生産者対消費者、富裕者対低所得者、大企業対中小企業、都市部対地方などの問題に、分断と分裂の契機が見えている。

こうした対立は、形を変えながら絶えず再生産される。相互依存の関係にありながらも、その中で発生する対立・緊張はやむことがない。こうしたことが絶えないのは、政府や地方公共団体、政党さらには企業が、存続に向けられた自己の主張や利益の実現、最大化を狙って展開する活動、主導権争いなどによって作り出される現象であろう。

英国の哲学者トマス・ホッブズは『リヴァイアサン』の中で、人間の恐ろしさを「万人の万人に対する闘争」と書いた。その一方、対極に古代ギリシャのアリストテレスは人間を「社会的動物」だと書いた。日本社会の例を見ても、激しい対立と闘争の局面はホッブズを、相互依存と協調の局面はアリストテレスの指摘を想起させる。まさに「人間とは何か」が問われる様相である。

(2) 社会

内部に政治的な緊張と経済社会上の対立を抱えながら、私たちの生活空間は全体として一つの集団にまとまっている。一つの集団だからこそ緊張と対立を孕んでいるといってもよい。こうした人間集団のことを「社会」と呼ぶ。

国々の境界線はグローバル化の進行によって溶け合い、かつてのような明確なものではなくなった。現代世界は、ヒト・モノ・カネ・サービス・技術・情報などが国境線を超えて目まぐるしく駆けめぐる時代に突入した。国同士の相互依存が高まると、他国内や国際社会の動きが国内に直接の影響を与える機会が増加し、国民単位の社会現象を観察するだけでは物足りないのは確かである。しかし、国民・国家を単位とした生活空間が消滅したわけではない。戦争・紛争、飢餓、核・ミサイルの発射実験、NPT体制など国際舞台で繰り返される事件は引き続き国家が当事国であることが多い。現代は国家を単位とする社会が国際社会など外部からの影響を強く受けつつある過渡期にあるといってよいと思う。

(3) 社会現象

社会の内部には、無数の複雑な現象が出現する。例えば、環境汚染と破壊、技術革新、企業の倒産、失業者の大量発生やバブルの発生、少子高齢化の進行、いじめ・自殺の増加、原発事故、さらには、政府・政党に対する不信や支持率の変化、新党の設立、安全保障環境の変化、戦争や紛争の勃発、世論の変化など。社会に広く見受けられ、それが鏡のように社会の実際の姿を映し出すように見える現象もあれば、突発的で専門家も読み解くことのできない現象もある。

一つの社会現象は、さまざまな原因が絡み合い錯綜して生み出される。そのため、その本当の姿や原因を突き止めることは容易ではない。例えば、日本経済は90年代後半から長期にわたって、デフレからの脱却が課題となっているが、デフレに陥った真の要因はいまだに完全に突き止められてはいない。学者や政治家の考え方は対立したままだ。そのため、デフレを抜け出すための対策も何がベストかについて意見は一致しない。2022年の時点で、GDP（国内総生産）は30年間頭打ち、賃金は25年間上昇が停止、実質賃金は下落したとの指摘もあるほど、日本は経済的に深刻な停滞に陥っている。企業の純資産は500兆円を超え、資金が余っているのに投資先が見つからない。停滞がこれほど明白であるにもかかわらず、原因も対策も未だに不透明なままである。これには政治的な対立抗争が大きく影響していることは間違いない。しかし、学問的な究明が行われ、研究成果が共有されていない現状は、日本社会にとって痛恨の極みといわなければならない。

《第8節》答えを探す

1. はじめに

社会科学は自然科学と違って、実験をすることができないとよくいわれる。そのため、分析データをそろえてそれを根拠に他者を説得することができない。実験ができない理由は、現存の入り組んだ社会的諸条件をいったん初期化することができないことにある。初期化とはガラガラポンにすること、例えば、一度に通貨の量を2倍にし、労働者を一度全部失業させるなどのことである。人々には生活があるので、それを破壊するような実験はできない。だから、例えば、経済政策αと政策βの効果の違いを測定するために、αとβを取り巻く条件を完全に同一に整えて実験に踏み切ることはできない。経済は生き物と同じで、時間の経過とともに経済を取り巻く条件は変化するからである。

社会の内部で起こる問題、例えば学校内のイジメや家庭内暴力による児童の死亡事件に関しては、異なる答え（対応策）がいくつも提案されるのが普通だ。そうした答えには、それぞれに大なり小なり真実が含まれていることが多い。だから、どれにするかを決めることは容易ではない。しかし、難しいからといって、ちょっと試しにやってみて、だめならやめれば良いという程度の簡単な話ではない。政府がそんないい加減なことをやったら、全国の現場が大混乱するだろう。ワクチンの実施や症例捕捉など新型コロナの対応について、国と地方が幾度も対立、混乱が起こったが、実験できない状況下で何事かを実施することがどれほど困難なものかを教える話ではないかと思う。

以下には、問題を解決するための答えを見つけ出すにはどうしたらいいかを探り検討してみよう。もちろん、答えは見つければそれで済むのではない。見つけただけではまだ「画に描いた餅」である。それを実地に行ってみて、問題を解決しなければならない。社会の問題の難しさはそこにある。人と社会の問題は最終的には決断の問題である。

2. 自分から知に接近する～待っていては何も起こらない

大学は、能動的・主体的に学ぶための場である。高校までのように、受身で覚えることでは足りない。何を・どのようにやるか、自分で考えて取り組む姿勢が大切だ。高校までは覚えることが用意され、それを習得すればよかった。しかし大学では、履修する科目も自分で決めなければならないし、どのような本や資料を参考にするか、探す方法をどうするか、レポートや卒業論文のテーマ、書く内容、などについても自分で考え決めなければならない。もちろん、先生や友達に相談し、アドバイスをもらうことはできるだろう。しかし、他人任せで取り組むと、内容のあるものにはならない。自分から問題を見つけ、調べようとするのでない限り、情報や知識に対する受け皿やアンテナがないために、大切な情報や知識、さらに肝心な問題点が自分の前を素通りしてしまう。大事なものを吸収するためには、自分の側にそれを迎え入れ、受け入れるだけの準備、受信態勢が必要だ。

小鳥の雛のように餌が運ばれて来るのを待つだけでは、知的な方面で成長することはできない。学修者は、知という餌を自分で探しに出かける意志をもたなければならない。学問の孤独な道を歩み続けるためには、自分から主体的に取組む姿勢がなければならない。この点を勘違いせず、よく認識する必要がある。

3. 学修の方法～聴く—読む—書く—議論する

学修の能力を高めるために、深く広く学んだ人に直接接して、その話を聴くことが大切である。よく「謦咳(けいがい)に接する」という。謦咳とは、咳ばらいや笑い、語ることを意味するが、これは優れた人のすぐ身近で教えを受けることの大切さを表現したものだ。大学のゼミに参加する大切さはそこにある。

しかし、一方的に聴くだけでは足りない。知を成長させ学修の効果を上げるためには、主体的に学修の過程に参加することが肝要である。その方法として、大切になるのが〈読む〉〈書く〉〈議論する〉という作業である。

学修者が単に受け身で学ぶ姿勢を転換し、学修の過程に参加することを意識しながら、能動的・主体的に取り組む方法をactive learningと呼ぶ。active learningは、一方通行の授業ではなく、コミュニケーションを採り入れた方法で、学修者の参加を促すことによって、知見を身に付ける方法である。学修者は、これに取り組むことによって、通り一遍の表面的な知識とは違う、内容の理解にまで接近できる。それによって効率よく学修効果を獲得できる。ただし、active learningという言葉は新しいが、その主張自体は古くから指摘されてきたことである。知は主体的に取り組むのでなければ発展しない。

こうして、大学で学修する学問を後の人生の有効な知として活かすためには、〈聴く〉〈読む〉〈書く〉〈議論する〉という4つの過程が大切な役割を果たす。

以下には項を改めて、「読む（読書）」と「議論（対話）する」について記すことにする。

4. 本を読もう

(1) 本を手に取る～まず触れよう

食べ物を摂取する場合、舌の味覚を通して食べ物を味わう。食道にゴム管を付けて栄養を摂取する場合は味覚の楽しみがない。病気などでやむなくゴム管を使う人はその点が一番辛いのではないだろうか。

学問や知の場合、この舌に相当するのが大脳前頭葉であるという。その前頭葉を通過しないと、学問や知の味わい、面白さや楽しさを感じない。楽しくないと、取り組む気にならない。学修の意欲は当然に減退（消滅？）してしまう。やる気が起こらないと、ゴム管で栄養を流し込むように、仕方なく試験の前夜にただ暗記するだけになってしまう。

江戸時代、日本では中国の古典書『論語』などの「素読（そどく）」が広く行われた。素読とは、書物に書かれたことの意味や内容をとりあえず考えることなく、ただ文字だけを音読するというものだ。武士階級だけでなく、広く庶民の子供たちまで素読で論語を学んだのは、そこにそれだけの効果があったからである。すぐれたものにまずは触れる。触れなければ何も始まらない。触れた後に知りたいと思ったら、その内容に入って行けばよい。素読だけで内容が分からなければ、本を読む意味がないではないか、という人もあるだろう。しかし、全く本を読まない人に比べたらはるかにマシである。入り口に立たなければ何も始まらない。本を読まない人が素読を笑うことはできない。

素読とは少々違う話だが、現代日本で毎朝10分程度授業の前に、良書を黙読する時間を設けている小学校や中学校があると聞く。すばらしい試みだと思う。こうした教育は短時間でもまず触れることを優先している点で素読と似ている。子供たちは、卒業し成長してからその効果を感じるはずである。一節を思い出して全体を読んでみる気になるかも知れない。「食わず嫌い」という言葉がある。何しろ食べないのだから味覚を味わう機会がない。ゴム管で流し込むことさえしていない。読書と知識にもそのまま当てはまると思う。

(2) 本は待っている

物事を見つめ考えて、それが「何であるか」を考察する能力を《教養》という。物事を読み取る能力といってもよい。

教養を意味する英語はcultureであるが、cultureには畑などの「耕作」「栽培」という意味もある。野菜の成長を促すためには、鍬で土壌を掘り起こし養分を行き渡らせる必要があるが、人の脳もまた掘り起こし耕すことによって物の見方や考え方を養うことができる。柔軟で豊かな能力を養うためには、その肥料として、栄養豊かな書物を読むことが大切だ。本なら何でも良いのでは決してない。読んでも時間の無駄にしかならない印刷物も世の中にはたくさんある。良質の書物を見つけ、読むように心がけよう。

若者にはどこかで書名は聞いたことがあるが、1ページも読んだことがないという本がたくさんあると思う。若いうちに、それを実際に手に取って読む機会を作ってほしい。本を読まない学生は必ず「時間がない、忙しい」ことを理由にするが、バイトやスマホ、ゲーム、テレビの時間はあるのだから、結局本を読む必要を感じない、又は読みたくないのだと思う。動きたくない自分を動かし、本の魅力を探す小さな旅に出なければならない。

日本の大学生は本を読まないといわれるようになって、もう何十年になるだろうか。留学生から「日本の大学生は食べ物とファッションにしか興味がない、議論をしたがらない」といわれるようになって久しい。こうしたことを聞いたら、それを恥ずかしいと思い、行動を変える努力をしなければならない。

是非とも、若いうちに読書の習慣を身に付け、教養の世界に入って行くための道筋を作っておきたい。社会に出て多忙になってから、読書の習慣を身に付けるのは容易ではない。学生の間に本を読む習慣のない人が、就職し多忙の日々を送るようになってから本を読み出すとは考えられない。結局、良質の本を全く読まないまま人生を終えることになってしまう。人は本も読まずに生涯を終えていいものだろうか。それは、あまりにも悲しく恥ずかしく、もったいないことだと思う。

みすぼらしい洋服を身に付けたり、また女性の場合であれば化粧をしないまま街に出ることは、きっと恥ずかしいことだと思うに違いない。他人の目に見えるからである。しかし、その同じ人が、本も読まず精神世界が貧弱であることはまったく恥ずかしいことだとは思わない。他人に見えないからである。大事なことは目に見えない。しかし、目に見えなくても、大事なことがそこに隠れている。

養老孟司氏は、若者の多くは「携帯を持った猿だ」といい放った。嫌われることを承知で堂々と真実を語ったのだから、著者は敬意を表す。氏は、若者を心底心配し、悲しく思っている。

(3) どんな世界にも行ける

私たちは、儚(はかな)く小さな存在だ。日本という小さな国に誕生し、一つの言語を話し、生活空間は限られ、何よりも生存できる時間に限りがある。わずかな時間しか与えられていない。人の意識も生命も、永い歴史的時間からみれば、一瞬の輝きを放って消える流れ星の光芒のようなものだ。生命とは時間のことである。人はそのことに覚醒しなくてはならないと思う。

それほどまでに小さな存在だが、私たちには果てしのない宇宙空間に広がった世界、さらには遠い過去の世界を知るための手段が与えられている。書物である。書物は、行ったこともない遠い国、宇宙、海や山で起こる現象や、さらには遥か遠い昔の人々の生活や経験を私たちに教えてくれる。良質の本は、間違いなく人生を広げる手引きの役割を果たしてくれる。部屋にいながら、手に取り頁をめくるだけでいいのである。小さな存在が、本によって時空を飛び超える力を手に入れる。

良質の本は、歴史や哲学、文学、思想、自然科学、社会科学、回想録、自叙伝、旅行記など多くの分野にわたって多数揃っている。古典と呼ばれる書物の一群はことに素晴らしい。それを開けば、そこには美しい未知の世界が広がっている。穏やかにやさしく語りかけ、時には心を揺さぶられるほどの感動を与えてくれるだろう。

本は知的な世界を広げ、心を養ってくれるだけではない。目的を見失い、日々悩み苦しむ心を慰め癒してくれるものでもある。そうした本の中には、読者自身と同じように道に迷い、先が見えなくなった人物がきっと登場して来るだろう。現在の自分にあまりによく似ていることに驚く場合もあるはずだ。本を通して、同じ悩みを持つ人間が他にもいることを知れば、打開できない孤独から抜け出すきっかけとなるかも知れない。文学作品の場合、悩み苦しんだ作者自身が主人公に設定されている場合が多い。暗いトンネルの中で得た体験を作者が語る。そこにきっと真実の独白を感じ取ることができると思う。

すぐれた本は、西洋・東洋、古代・中世・近現代を問わない。長く読み継がれてきた本は古典と呼ばれるが、夏目漱石（1867-1916）、森鴎外（1862-1922）などの作品のようにまだ百年ほどしか経っていないものもある。人々に愛読され続け、月日の風雪を生き抜いて来たことが、すでにその本の価値を示している。後世にまで残る優れた価値を不朽と表現する。古典とは不朽の名作の宝庫である。

では実際に、すぐれた本にはどんなものがあるだろう。若い人に向けた推薦書は人によって大きく異なるが、著者が薦めたいと思う本については巻末（資料3）に掲載しておいたので参考にしてほしい。そこに収録した書名は、著者自身が実際に読んだ本の中から、優れていると実感したものだけを選んだ。世間の評判が高くても、著者自身が読んでいない、又は読んでも良書とは感じなかったものは選択していない。

良書に触れ、それを読み終えた後、自分から新たに本を探し求めるようになったら、それは進歩の証である。また、良書に親しみ少しずつ眼識が育って来ると、良書とはいえない本はすぐに見分けがつくようになるだろう。それもまた進歩、成長の跡を示すものだ。

（4）まず始めよう

本は難しい、面倒くさいから読みたくないと思っている人もいるに違いない。しかし、まず始めてみよう。実際に読み始めればけっこう読めることに気づくと思う。『学問の事始め』のタイトルを付したこの本は、各章の冒頭にカントなどの優れた先人の言葉を引用してあるが、これは一見難しそうに見えても、読めば誰でも理解できることを分かってもらうための工夫である。

本はまず開かなければ何も始まらない。途中でやめたくなることもあるだろう。そうなったら、やめて次の日に再開すればよい。例えば200頁の本は、一日10頁読めば20日で読破できる。5頁でも40日で終わる。終えた時、きっと充足感に包まれるだろう。知の成長の証だ。

5．議論をしよう

（1）議論の効用

現今の日本の学生は議論をしたがらないと先に書いたが、質問をしないという傾向も強い。これは今に始まったことではない。30年も以前からそうした指摘はあった。しかし、そこからさらに前の大学生たちは、著者の記憶だと、読書をし、うるさいくらいに議論や質問をしていた。また、読書しないのは恥ずかしいことだという感覚があった。

議論には、まだはっきりしない自分の意見を確認する、固めるという意味もある。初めから立派な意見をいえなくてもよい。幼稚でもいいので、意見を闘わせてみよう。議論を通して、自分の考えの足りない部分や相手の弱い所・強い所がだんだんに見えて来るようになるだろう。トレーニングを繰り返しているうちに、今までに見えなかった他人の主張のデコボコが見えるようになる。筋肉トレーニングによって筋力が鍛えられるように、議論をすることは考え、話し、聴く能力を養ってくれる。

(2) 批判と可視化

議論は、人と人が向き合って互いの意見を批判に曝(さら)し、一段高い所に進むための方法である。人は何かについて意見を持っても、内心に留め他者に伝えない限り、その意見が「何者であるか」を知ることはできない。事実誤認、勘違い、根拠不明のこともある。議論をすれば、その意見を可視化できる。「見られる」ことで人から指摘を受け、気づくこともできる。話を聴いているうちに、相手方がより優れていること又は結局は同じ意見であることを知る場合もある。相手の意見もまた、批判的に見つめるのでなければ、本当の姿、形は見えて来ない。学修を深めるためには、己(おのれ)の姿、意見を知ることが大切だ。それを教えてくれるのは議論、つまり向き合って進める対話である。対話がうまくかみ合えば、お互いに新しい認識を得ることができる。

ギリシャ時代、対話は哲学の成立に決定的な役割を果たしたといわれる。対話は、知を公開の批判に曝す手段であった。哲学は対話をめぐる運動から発展したのである。そこからやがて、「知の公共性」という理念が育つ。古代ギリシャ世界では、真の知は社会にとり有益であり、「公共財」だとの認識が形成されていた。

近代に入ると、マルティン・ブーバー(注11)は『我と汝』において、対話の豊かな可能性を論じ、貴重な論考を残した。彼は、対象は山がそこにあるように確実に存在するものではないという思想から出発する。対象は、その存否も内容も不動で確実なものではない。では、それはどのようにして確かめられるか。彼は三人称世界ではなく、二人称世界から迫るほかないと考える。対象は、対話を通してその姿を浮かび上がらせる。彼の思想は、視点の多様性を尊重する思想でもある。

ブーバーによれば、「近代的知」は全てに対して対象化を試みるが、それには自己を完全に第三者化することが必要である。しかし、そこには超えられない限界がある。これに対し、対話は我と汝の間に交流と架け橋を作り出し、それによって対象化の限界を超える可能性を生む。対象は我と汝の間にある(注12)。ブーバーは西洋近代が自我と対象を完全に分離できると考えたことにアンチ・テーゼを立てたのである。我と汝の交流と融合から得られる思想は、完全な対象化から彫像される知とは異質である。近代知とは対象化であり、それは「突き放し」の哲学に立つ。そこに「共鳴と共感＝sympathy」はない。ブーバーは、自我と世界の完全分離、世界の対象化を拒む。そこには禅に近い思想が見える。彼の提言は、主観と客観を分離する妥当性についても反省を迫るものである。

(3) 議論の実践

議論の例として、「人は平等か」を取り上げよう。よく「人は平等だ」といわれる。もし入学試験や企業の採用の際に、出身地・親の職業や年収などを基準に合否を決めるとすれば、必ず反発が起こる。近代以降の「人は平等」の理念に反するからだ。理念とは、社会制度の根底にある考え方のことだ。

問題は、不平等の扱いはよくない、理念に反するといっても、ことはそれほど単純ではないということだ。平等をめぐっては多くの問題がある。

第一に、人が平等だとするなら、弱者であることを理由に女性を男性より優遇することは平等に反するのではないか。近年は日本でも、女性の社会進出を促すことを理由に、一定割合の目標を掲げて公務員や内閣の閣僚、さらには企業の幹部に女性を採用、昇進させることが行われている。これは、男性に対する逆差別にならないだろうか。

女性に対する優遇策は、米国で発達した。その背後には、女性は歴史的に男性優位の中で社会的活躍を妨げられてきたのだから、それを是正するためには女性を支援するための政策が必要だという考え方がある。社会制度によって作り出されたものは、社会制度の改革によって改善するという考え方である。これだと、女性だけでなく多数派の犠牲になった民族・人種などの少数派に対する優遇策も肯定される。実際に、米国の大学では少数派の入学を確保する特別枠の設定が行われてきた。

こうした取扱いに対しては、男性や白人に対する逆差別ではないかとの批判もあったが、今日では「積極的優遇策(affirmative action)」として正当化され、すでに定着している。

第二に、そもそも人は本当に平等といえるのだろうか。人は財力・容貌・知的ないし身体的能力・生育の環境などずいぶんと違っている。こうした違いを見る限り、人はむしろ不平等だというのが正しく、平等だというのは幻想、まやかしに過ぎないのではないか。一体、平等の問題はどう考えたらいいのだろう。

これを解決する一つの切り口は、世の中の現実と理想を区別する所にあると思う。現実とは、ありのままの事実・存在で、「～である」の形式で表現できる世界である。これに対し、理想とはあるべき姿（当為）であり、「～べきである」）の形式で表現できる世界である。事実において、人はたしかに財力・容貌・能力などにおいて異なっている。しかし、その一方で人は理想を掲げ、追求する生き物である。望ましい社会や制度について絵を描き、それを実現しようと試みる。その絵において「人は平等だ」と考える。結論として、人は事実においては確かに違いがあるが、社会の土台作りにあたっては人の価値を平等と認め、社会進出を促すための機会を平等に与えるべきだと考える。そういうことではないだろうか。

(4) 議論のテーマ（例）

議論にふさわしいテーマは生活の周辺にいくらでもあるが、以下には参考例をいくつか挙げておく。一つを選択し、実際に友人と議論することを勧める。議論が終わった後、対立した論点や理由などを箇条書きにまとめてみてはどうだろう。

A あなたは臓器移植をどう思いますか。また、自分の臓器を提供する意思はありますか。

B 夫婦別姓は望ましい制度だと思いますか。

C 映画で有名になった客船タイタニック号の船長は、船の沈没が確実となったため、乗客を救命ボートに移すことにしたが、全員を救助することはできないため、女性・子供を優先する一方、船賃の安い船底の船客は救助対象から外すことを決断した。あなたこの決断を正当だと思いますか。

D 航空機や客船の遭難のように、多数の乗客が同一事故で亡くなった場合、その損害賠償は同じでなければならないと考えますか。

E 共学の大学の入学試験で、成績とは無関係に一定数の女子を合格させることは男女平等の理念に反すると思いますか（特別枠の設定）。

F 混雑しない時間帯に、電車に女性専用車を設けることをどう思いますか。

なお、巻末には（資料2）として、A〜Fの議論の参考になると思われるポイントを掲載したので参考としてもらいたい。

(5) どんな意見でも対等か――意見に優劣はないか

ところで、人や社会をめぐる学修に答えがないとするなら、どんな意見でも対等だし、またどんな考え方でも意見として成り立つのだろうか。例えば、思想に基づいて人を殺すのは自由だろうか。もし「法律が殺人を禁止しようと、自分は法律など認めない」といい切る人がいたらどうだろう。

実際に、ロシアの文豪ドストエフスキー(注13)の書いた『罪と罰』は、そうした問題をテーマとして扱った文学作品である。主人公ラスコーリニコフは、裏通りに下宿する貧しい大学生だが、「自分のような将来ある青年は役にも立たぬ人間など犠牲にしてもいい」という考えに取り憑かれる。そして、完全犯罪を狙って念入りな計画を立て、金を奪うために、以前金を借りたことのある質屋の老婆を斧で襲撃し、ついに殺してしまう。孤独な生活の中で得た思想を行動に移したのだ。人間の深い淵を覗(のぞ)き込むようなこの作品に、妖しい魅力を感じる人も多いはずだ。だからこそ、世界文学史上の傑作として読み継がれてきた。

しかし、いかに文学的な価値の高い作品であろうと、ラスコーリニコフと同じことを政治家が主張し、又は学校の先生が子供に教室で「信念のためなら殺人をしてもかまわない」と教えたとすれば、それは世の中の人が許さないだろう。

この時、人々は、ラスコーリニコフを支持する友人たちに反論するために、どんな意見を立てるだろう。おそらく、ここにその意見を考え書き出すだけで、何冊もの本が書けるはずだ。今は、次の点だけを記しておくことにしよう。

ここで伝えたいのは、意見には人と同様に生命力が宿っているということだ。人の意見は、単なる言葉の寄せ集めではない。それは、生きてそこに存在する人間が、自分の周辺、社会を見渡して感じた欲望や恐怖、憎悪、諦めの思い、さらには絶望や希望を表現している。

そうした思いに満たされた人々の無数の意見が表現され衝突する中から、豊かな生命力を持つ意見だけが人々に支持され、生き残る。水分を失い、涸れてしまった意見は、人々の心を掴むことができない。

人々が闘わせる数々の意見は、そうした生命力によって社会の中で優劣を競い合っている。こうして、「正しい答えがないなら、どんな意見でも対等だし、みな同等の価値を持っている」と考えるのは、誤りだといわなければならない。

学問を通して学ぶのは、数多くの見方（視点）、考え方の中から生命力のある意見を探り見つけ出し、自分の意見を組み立てて行く能力を養うことが目的である。

《第9節》学問と生活

1．知の効用

(1) 予測可能性

石ころを空に向かって投げると、投げる時の力が分かれば計算式によって、石ころがどれだけの高さまで上がるか、何秒後に落下するかを知ることができる。また、地上から打ち上げたロケットを地球の引力から外し、遠い天体に送り出すための分離点や速度、時刻を割り出すことも可能だ。医学では、症例の研究によって患者の病気を見つけ出し、薬品の開発、服用、手術などによって病気を撃退することもできる。また、日本銀行は公定歩合を操作し、市中に出回る通貨量を調節することによって国民の経済活動を制御することができる。さらに、法律違反が発生した場合、民事上の損害賠償、刑事上の刑罰により損害を回復し、違反状態に制裁が加えられる。もっとも、日銀の活動や法律違反の場合、ロケットの打ち上げとは違って、予測可能性の精度は状況によりかなり落ちる。この点は、自然科学と社会科学が大きく異なる点だ。

学問とは知を探知、蓄積し総合し体系化する活動だが、それは別な面から見ると、生活の予測可能性を追求する活動でもある。学問的な眼を養うことにより、私たちは生活の周辺に対する予測可能性を高めることができる。

(2) 一つの例

体の不調があって病院に行ったら、A病院では「白血病です」といわれ、B病院では「ただのカゼです」といわれたとしよう。どちらかがデタラメであることは明らかである。もしもこんなことが頻繁に起こったら、医学も病院も信用を失うだろう。

刑事裁判の過程で行われる精神鑑定ではこれに似たことが普通に起こる。ある鑑定は「父親が厳格であったために少年は犯罪に走った」といい、また別な事件の鑑定は「父親が甘やかし過ぎたために少年は犯罪に走った」と真逆のことをいう。日本の裁判所は、戦後ある時期を境に精神鑑定を判決の基礎とはしなくなった。参考程度として用いることは今も続いているが、それは拘束ではなく参考である。こうした経緯は精神医学、心理学が裁判所により学問としての「確度」を疑われたといわれても仕方がない。どんな学問もときには誤るし、法則化に失敗する。しかし、白血病とカゼを取り違えるようなことが繰り返されれば、疑念を持たれても仕方がない(注14)。

何の研究でも、納得に足るだけの筋道を示すことができなければ、学問の地位を要求することはできない。

(3) 知の力——先を読む

将棋や囲碁のような勝負事では、先を読む能力(先見の明)のある方が勝つ。スポーツの場合も、作戦の展開に見通しをつけることが大切な作業となる。作戦とは、勝つための組立て、試合作りを考えることだ。相手の力量、長所・短所を知り、過去の攻め方・クセを調べた上で、試合運びの段取りを検討する。相手の弱点を突くために裏をかくこともあるだろう。個人戦・団体戦を問わず、敵を知り己（おのれ）を知った上で試合の展開を見通す。それが試合の勝敗を左右する。野球やサッカーなどチーム・スポーツの監督の仕事は、大半がこの先を読む作業だといってよい。

社会生活の中でも、先見は大切な役割を果たす。受験や就職、さらにはビジネスの交渉事、投資など、人々は先の見通しを立て行動している。国家もまた内政、外交・安全保障の両面で、先を読む作業を繰り返している。例えば、外交に関していえば、当方の出方次第で相手国がどう動くか、相手国に対して当方が強硬に出たらどう反応するかなど見通しを付けなければならない。失敗すれば当方の国家利益は毀損する。優れた政治家は、先を見通す名人に違いない。そうでなければ交渉事に勝つことはできない。

経営者は、事業に与（あずか）る責任者として、揺れ動く船の舵を操る船長のように市場動向の読取りに余念がない。ここでも優れた経営者は、先を見通す眼識のある人物でなければならない。経営の才覚とは、船の浮かぶ水の流れを読み、巧みに操舵する能力のことである。

政治家や経営者でなくても、私たちの日常生活は小さな決断の連続の上に成り立っている。生活に見通しを付ける必要があるのは操舵によって船の動揺を回避するのと同じで、自分と家族、経営する企業、従業員などの航行の安全を守るためである。例えば、銀行融資、不動産購入や相続の租税、勤務先企業の事業見通し、さらには医療や保険、年金、投資。こうした例から分かるように、学校の学修で知識を得ることは生活の見通しを付ける上で役に立つ。先人が開発、磨き続けた知識を吸収することが問題の処理に有効に働く。

しかし、高等教育を受けなければ先を読む能力は養えないのかと問われると、その回答はかなり難しい。なぜならば、高等教育を受けずに優れた判断力、先見の明を獲得するに至った政治家、経営者は数え切れないほどいるからである。そうした優れ者は、日本だけではなく世界中にいる。これは先見の明というものが、学校教育だけで磨かれるものではないことを示す。学校外の実生活が教育の場となって、そうした人々の能力を鍛錬、成長させてくれるのであろう。

2. 学ぶことは生きること

学問は、自由に制約なしに行われるという点では遊びに似ている。しかし、学問の追求は遊びとして行われるものではない。それは太古以来、人が食べ物を得て生き抜くための知恵と結びついていた。学問は生存と直結し、それだけ真剣かつ切実な営みであった。

太古以来、人々は災害や飢餓、疫病によってどれほどの絶望を味わったことであろう。生き抜き、生き残るための厳しい試練に曝され続けるうちに、人類は知識、知恵に力があることを発見する。植物には食用となり、病気やけがを治し、衣料・染料の材となるものがある。また、種を保存し、翌年蒔けばやがて成長し食糧を得ることができる。動物を倒す武器や農具の製法。青銅や銅の製造技術。さらには気象など、天を読むための知識は農耕に役立つ。気象の変化を読み取る知識は、祭祀にも用いられたであろう。邪馬台国の女王・卑弥呼は月食、日食などを予測できたといわれている[(注15)]。

知は力である。知は人々に尊ばれ、それを使いこなす者は支配者となり又は支配者の側近くで重用されたに違いない。

現代においても、学問は現実社会から懸け離れたところで行われる遊戯、時間潰しではない。例えば、経済不況は若者の生活と夢を同時に奪い、労働者から家族を養う糧を奪う深刻な問題である。不況を抜け出し、若者や幼い子供たちが笑顔を取り戻すために、学問にできることは何であるか。労働経済学・経済政策学だけでなく、およそ学問は人々が生き抜き生き残るための手段・方法とつながっている。一見私たちの日常と無縁に思える重力や時間・空間の歪みの研究も、GPSや衛星、時間の計測を通じて携帯電話の通信、位置確認などに利用される。現代世界は、歴史上最も学問上の成果が人々の生活に浸透し、活かされた段階にあるといってよい。

学問は生活面の実益を得る手段ではなく、それ自体が価値であり目的だとする考え方も確かにある。しかし、そうした考え方も、制約を受けることなく学問の自由な発展を許容することによって、結局は人間社会に真に豊かな恵み、成果が得られるという確信に支えられている。そうだとすれば、学問は人々の幸福と安寧に奉仕するという考え方と一致する。方法論が異なるだけだ。

3. 知を活かす

人は何かを知らない場合、知らないままの自分に気が付くことがない。これは、すでにそのことを知っている他人から見ると滑稽に見えることがある。税金や商品の知識がないばかりに、思いがけない損失を受ける場合もある。

知らない自分に気がつけば、知りたいと思うこともあるだろうし、知る必要を感じる場合もあると思うのだが、なかにはたとえ気づいても、意欲も必要も感じない人もある。

たしかに、知識が大事だといっても、知識があればそれですぐ生活が成り立つわけではない。会社法をよく知っているからといって、それだけで経営がうまく行くことにはならない。逆に、会社法など知らなくても会社で働くことはできるし、日々の事業経営もできるだろう。会社法は現代の商品経済社会の法的基盤だなどといっても、別に知らなくても営業や商品の販売、給料の計算に支障はない。

しかし、経営者も労働者も成功したいと思って働いている。社長や重役になりたいと思っていない人でも、10年も20年も給料が安いままでいいと思っている人はいない。成功するためには、ありふれた、誰でも気がつくことにしか目が行かないようでは足りない。人が見落としている点に目が届き、人よりも先を見通す力を身に付けることができて初めて組織の中で評価されるし、成功のチャンスを掴むろう。そのためには、経験と判断力を身に付けなければならない。それを磨くために、知はきっと役に立つだろう。

人は生き抜き成功するために、周辺環境を読み取り自分の立ち位置を測り続ける。報道を通して政治・経済などの情報を入手するのは、そうした活動の一例である。知の学修は日々の情報よりも汎用性の大きい知見を扱うが、社会・自然と人の関係を測るという点では同じである。こうして、新聞などの報道を読み解くために情報リテラシーが必要となるように、知の学修においてもアカデミック・リテラシー（知を読み解く能力）の習得が必要となる。学問は空理空論ではない。それは人の生活と結びつき支えるためのものだ。

知識は単に頭に詰め込むだけでなく、自分の血肉とし活きたものとすることが大切だ。知は人の血肉となったとき、「知恵」と呼ばれる。知恵を持つ人になるためには、すでにすぐれた知恵を持った人々の身近でその感化を受けることも大切だと思う。すぐれた人々は、知を実践して生きている。

人生は時間が限られている。その一方、若い人たちにとってはお金もまた魅力ある物に映るに違いない。現代の若者は生まれた時から、溢れるばかりのモノ・サービスに囲まれて育ち、商品経済の洗礼を受けているので、商品を入手できる金銭の魅力に取り憑(つ)かれる人もいるであろう。もちろん、それは人によって程度は違うと思うが、老人たちの場合よりも一般に金銭の価値を尊重する風(ふう)が強いように感じる。人にとって本当に必要な物は実はわずかしかないと著者は思う。溢れかえる大量の商品に目と心を奪われると、人は本当に必要なものが見えなくなるのではないか。若いうちにお金に気を取られ、精力をそちらに傾け過ぎると、大切なものを失い、やがて取り返しがつかない状態に陥るのではないだろうか。

心に留めたいのは、時間は金銭よりはるかに貴重な資源だという点だ。金銭は失えばまた稼げるが、時間はもう二度と戻らないし、新たに入手することもできない。いくら金を積んでも、ヨーロッパの王侯貴族や米国の富豪でも、時間を買うことはできない。若いうちにそれに気づくことは難しいのかも知れない。しかし、いつまでも気づかない人がいることを思えば、少しでも早く気づくことが人生を豊かにするために大切なことだと思う。

《第６章》

試練に耐える

※本当に生涯を通じて、こんな出来の悪い、人生でいったら落伍者ですね、そういう人間が仏様の御加護によってここまで来られたということはひとへにもお不動様に感謝して、ただその感謝するだけじゃなくて　この気持ちを今度は生まれ変わって……もう一生懸命みんなのため、日本国中の人のため、みんなのために拝み倒していくという、もうそれだけです。

——酒井雄哉　大阿闍梨（千日回峰行の達成者）[注1]

《第1節》自己の実現

1.《自分》を産む苦しみ

やがて若者が社会人となり、歳月が経ってから振り返れば、学生時代の記憶は甘美な青春の思い出となって甦るだろう。しかし、顧みればそのように思える日々でも、青春の直中（ただなか）にある若者にとって日常は決して甘くはない。いつ果てるとも知れない暗いトンネルの中にあるような思いの人もあるだろう。

若者は、心柔らかく、日常の些細なことに傷付きやすい。波間に漂う木の葉のように、頼りなく動揺を繰り返す。就職や将来の不安にさいなまれ、自信の喪失と焦燥感に駆られて、行くあてのない孤舟のように感じることもあるだろう。経済的な困難を抱え苦学する学生の場合は、安らぎを得る場所が見つからず濁流を泳ぐ思いで毎日を送る人もあるに違いない。

人と会うのが嫌になって殻に閉じこもると、今度は自分の事だけで精一杯になり、周囲には目が届かなくなる。そうなると、若者は自分だけが何か途方もない困難に直面していると思い込むようになってしまう。マイナスの感情の連鎖である。

若者はこれから成長し、社会に出て行く。社会の方も若者を待ち受けている。ウミガメは闇夜の海浜で産卵する時、眼に一杯の涙をためて苦しみながら新しい命を地上に送り出す。若者が暗いトンネルで感じる苦しみもまた、これから世に出て行く《新しい自分》を作り出すための「産みの苦しみ」である。

耐え難い苦しみを感じた時は、どうか思い起こしてほしい。嘆き苦しんでいるのは自分一人ではない。世の中で一人自分だけが不幸に堕(お)ちているのだと思い込むと、人は悲劇の主人公となり、絶望の殻に閉じこもって、ときに人生を捨てることまで考えるようになる。しかし、若い日々に特有の苦しみは、誰しもが人生で経験する一つの通過点であることを知れば、自分が決して悲劇の主人公ではないことが分かると思う。悲劇どころか、小さな不運を大げさに考え過ぎていて、他人から見たら喜劇になる場合もあるだろう。自分だけではないことが分かれば、以前なら耐え切れずに溺れそうに感じた時でも、肩から力を抜いてそれに耐え、やり過ごすことができるようになるだろう。

2. 自分と向き合う

人生は不公平なものだと感じたことはないだろうか。人は確かに不公平な条件の下に生れ落ち、その中で生きて行く宿命を負っている。世の中が不公平だという思いは、地上世界の現実を確かにとらえたものだと思う。

人が不公平な社会的存在であることは、地上世界に少しでも思いをめぐらせばすぐ分かる。貧しい国々には、生まれてすぐ飢餓や病で死に絶える子供たちがいる。豊かな国でも、不治の難病を抱えて生まれ、それを背負って短い命を生きる人がいる。視力のないままに誕生し、生涯、光を知らないまま人生を閉じる人もいる。健康で生まれたのに、交通事故や犯罪者の襲撃に遭って、普通の生活を送れなくなった人、生命を絶たれた人がいる。この世は、不条理に溢れている。最近では、宗教2世と呼ばれる人たちが幼い頃に親から受けた暴力や虐待に苦しんでいる事実が明らかになりつつある。

貧しい家に生まれ上の学校に行けず、親と同じように収入の少ない仕事にしか就くことのできない人もあれば、教育も留学も思いのままでやがて親の跡を継いで社長になる人もいる。スポーツや音楽、理数系の才能に豊かに恵まれた人、恵まれなかった人、女優のように美しく生まれた人。この世は、種々の人々が織り成す万華鏡の世界である。

こうした不公平を前に、私たちはそれとどう向き合えばいいのだろう。自分の不運を呪って親や社会に怒りを向けて、不満の塊となって生きて行けばいいのだろうか。果たしてそうした人生に生きがいや喜びはあるのだろうか。

不運も不公平も、逃れられない宿命だとするなら、私たちはそれを受け入れて生きて行く他はない。与えられた条件で、与えられた時間を生きる。不都合があっても耐え、前に向かう。もし自分の中にそれを受け入れようとしない心があるなら、その心を変えるように自分を養う。そうする他ないし、人間というのはそれが本当ではないだろうか。

不公正を正す政治に意味がないといっているのではない。しかし、政治は万能ではなく、世の中は何もかも政治が正せるものばかりではない。政治がどんなに改革されても、人の心の奥の慰謝にはたどり着かないであろう。例えば、自分に音楽の才能がないことを政治で変えられるのだろうか。俳優になりたくてもなれない現実を政治によってどうすればいいのだろう。主役を狙わず、名脇役となることに喜びを見出すのも一つの生き方ではないだろうか。それを受け容れる自分を作り出すのも大切ではないだろうか。政治万能を信仰するとしても、政治が人の心の内奥にまで入り込む社会が健全でいいとは思えない。むしろ人の精神には、その中のある部分に政治の侵入を拒む自由があってもいいと思う。

運命を受け入れて懸命に生きる姿は人々に感動を与える。障害を乗り越え、障害者競技で闘う選手の活躍を見る時、多くの人はそれを実感する。こうした選手たちは、すでに絶望に堕ち又は堕ちそうになっている人に対しては手本となり、生きる勇気を与えてくれる。なぜ人々の心を奮い立たせ、捕らえるのだろうか。それは、世の中の多くの人々に「挫けそうになっている自分」を思い起こさせるからだと思う。

3. 貧しい者に教育は要らない

フランスのルソー[注2]は、『エミール』という教育書の中に「貧しい者に教育は要らない。貧しさゆえの厳しい生活が彼らを教育してくれる」という趣旨を書いた。その言葉は、学校で学ぶ機会に恵まれず、人の世で下積みの生活を強いられた人々の胸に、重く粛然と響くだろう。貧しさ故に試練に曝された人々は、生活を築くために、与えられた命を生き抜くために、人の何倍も苦労を重ねて来たのだから。

人の世ばかりではない。自然界に目をやると、多くの生き物は生命を守るための作業に追われて忙しい。蟻や蜘蛛、そして人間の身近で生きる犬たちも、学校で教育を受けたものなどどこにもいない。それにもかかわらず、蟻は、設計図もないのに堅牢で精密な集合住宅を建築し、蜘蛛は強くしなやかな網を毎日木々の間に張り換える。蟻も蜘蛛も建築工学の博士号を授与されていいくらいだ。また、犬は誰から教えられたわけでもないのに、愛くるしい振舞いと仕草によって、一緒に散歩する飼主の心を捉えて離さない。人の世にある学校に行かなかった生き物たちが、自然界の厳しい掟を忠実に守り、たくましくしなやかな生命力を発揮して地上で生きている。

教育の機会に恵まれた若者は、恵まれない境遇の人々や自然界の厳しい生息環境を思いながら、自身が得た機会に感謝すべきではないだろうか。そうした思いがあれば、与えられた日々を大切に思う心が育つのではないか。

幸運と豊かさは、人の心を軟弱にし、だめにする機会でもある。漫然と過ごす若者にとって、大学で過ごす時間は、ぬるま湯となり、得難いものを失う機会となるかも知れない。ぬるま湯に入らなければ試練に曝され成長する機会を得たはずなのに、それを失い自分をダメにする。幸福な時間が人の発展を妨げる。「貧しい者に教育は要らない」というルソーの重い言葉はそのことを教えていると思う。

4. 苦しみを和らげる～仏教の教え

私たちは、宿命から遁れることができない。人は生まれ落ちた瞬間から定めの軛の下にある。この世に生まれた人が必ず遭遇する苦しみについて仏教は次のように教えている。

生老病死（しょうろうびょうし）
愛別離苦（あいべつりく）
怨憎会苦（おんぞうえく）
求不得苦（ぐふとくく）
五陰盛苦（ごおんじょうく）

『生老病死』は、生きる、老いて行く、病に陥る、死に絶える、という避け難い人間の苦難をいい表している。《四苦》という。人は生まれ出た以上、誰でもその苦しみに向き合わなければならない宿命を負い、それから遁れることができない。若者は未来の不安に苦しむが、それは四苦の一つ「生きる」苦しみである。

『愛別離苦』は、わが子、父母、夫婦、恋人など愛してやまない人たちと別れなければならない宿命と苦しみをいう。人は愛する人が苦しみ死に行く姿を見ると、誰しも、自分の命に換えてでも救って上げたいと思う。しかし、どれほど願っても、それは叶わない。愛する人をおいて自分が先に逝く場合もある。人は別れを覚悟しなければならない。その時、人は血の涙を流し、もがき絶望する。

『怨憎会苦』は、その逆に、自分が又は自分を恨み憎む者、つまり敵となるべき人に出会わなければならない定めと苦しみのことだ。人は誰でも、学校や職場、近所で、そうした人と出会う。会っても自由に離れることのできる関係なら困らないが、毎日顔を突き合わせ、一緒に勉強や仕事、生活をしなければならない場合もある。

『求不得苦』は、たとえ何かを得たいと願っても思うようにならない苦しみである。どれほど欲しい物、就きたい職業があっても、またどれほど結婚したいと憧れる異性がいても、自分の自由になるとは限らない。老いて振り返れば、人生は自由にならないことの方がはるかに多かったことに気づくかもしれない。

さらに、『五陰盛苦』は、心身から発する苦しみを指している。その中には、性欲や権力欲、出世欲も入る。仏教では、人間の心や身体を形作る五つの要素を五陰（又は五蘊）と呼ぶ。五陰には色（肉体）、受（感覚）、想・行（意思）、識（認識）があり、人間はその五つが円満に働く状態にないと苦しみに陥るといわれる。例えば、性犯罪に走る者の中にはそうした苦しみが昂じた結果、あるまじき非行に至った人があるに違いない。

こうして、人間は地上世界に生まれ落ちた瞬間から苦しみに遭遇する。人生は苦しみとともにある。私たちは、その中を歩み続ける運命を背負っている。生き続けることが私たちの使命である。

現在人が抱える苦難は、人であれば誰しもが抱えるものであり、自分だけに降りかかったものではない。今は苦しんでいない人でも、やがてその苦しみに襲われるかも知れない。そのことを知れば、他人の苦しみにも目が行くようになり、自分の現在の不幸は世の中に溢れる無数の苦しみの一つに過ぎないことに気づくのではないだろうか。それは「苦しみの相対化」さらには「自己の相対化」といってよい。自分だけが世の中の不幸を一身に背負った特別な人間だという考えは捨てなければならない。自分と同じ、さらにはもっと深刻な苦しみを抱えた人はたくさんいる。

もちろん、多くの人々が似たような苦しみを味わうとしても、その苦しみは少しずつすべての人が違っているだろう。ロシアの文学者トルストイの『アンナ・カレーニナ』という作品の冒頭に「幸福な家庭はすべて互いに似かよったものであり、不幸な家庭はどこもその不幸のおもむきが異なっているものである。」という言葉が出て来る。

人はみな他の誰とも違った困難に直面しているという意味では、一人ひとりが人類全体の最前線に立っているようなものだ。それは譬えていえば、高い絶壁の上で、海から吹き付ける強風を体にまともに受けてこらえながら、吹き飛ばされないように立ち続けるようなものだ。次の瞬間に風向も風圧も変化し、何が起こるか分からない。海へ転落するか、絶壁の上で倒されるか。それとも、立った状態で見通しのないまま、耐え忍ばなくてはならないのか。人の存在をこうしたものとして捕える考え方は「実存主義」と呼ばれるが、それには確かな真理が宿っていると思う。

少しずつ違っているとはいえ、私たちは小さな体に、宇宙から与えられた生命を宿し、時間の流れの中に浮かんでいる。その泡のような生命はいずれ消滅する。そのことを知り、受け容れることが穏やかに人生を送るために、まず大切ではないだろうか。よくいわれることだが、「諦める」という言葉は「投げやりになる」という意味ではない。もともとそれは「事情を明らかに見通して思い切ること」「覚悟を決める」ということだ。自分の姿、人間の存在を見つめ諦めて、初めて生きる苦しみを減らすことができるのではないだろうか。

その苦しみがどんなものであれ、仏教の言葉は、私たち一人ひとりを励ましている――今苦しんでいるのはあなただけではない、人はすべて苦しむものだと教えているのだから。仏教の話の結びに、生き辛抱することの大切さを教えるある僧侶の言葉を以下に記しておきたいと思う。仏教は、人の苦しみを減らすための教えである。

――往く道は　精進にして　忍びて終わり　悔いはなし

やがて苦しみは遠のく。諸行無常という。楽しいことはいつまでも続くことはないが、苦しみもまたいつまでも続くことはない。やがて、遠のく。

《第2節》生命の灯

1. なぜ生きる？

人は、自分の意思でこの世に生まれ出て来たのではない。ある日、地上世界に二本足で立つ自分に気がついた――それが本当ではないだろうか。そうであるなら、《人は何のために生きるのか》という問いかけに意味はないのかも知れない。どうして地上に現れたのかも知らないのに、人生の意味や目的など考えても分かるはずがない。無理やり人生の意味を考え始めても、それは後付けの、独りよがりの小さな考えでしかないのかも知れない。生存の姿からかけ離れた、とんでもない間違いの可能性だってあり得る。もっとも人さまざまだから、それぞれが勝手に自分の人生の意味を考えてもいいのかも知れない。そうすると、そこには正しいとか間違っているということもなくなるかも知れない。

人は、自分でがんばっているから生きているのだろうか。日常の中でそう思える場面もたしかにある。しかし、自分の意志とはおかまいなしに心臓は動くし、眼球は視界を捕らえるし音響は耳に達する。人体は意志と無関係に働いているではないか。

中学生の頃、授業で「人の意志と無関係に勝手に動く臓器もあるが、そうではない臓器もある」と教わったが、そうした区別は本当に正しいのだろうか。実はすべての臓器が「持ち主」の心とは関係なく動くようにも思える。右手を上げようと思い、その通りにしたとしても、「上げよう」と思ったその意志の前には何かがあったのだろう。意志というものは、本当に自由に働いているのだろうか。人は自然界に生存するのに、人の意志が自然界から飛び出し、原因もなしに自由に飛翔し舞うなどということがあり得るのだろうか。ひょっとして、意志の自由は全くの幻想で、本当は自由などないのかも知れない。

よく「人は生かされている」という。これは、「歯を食いしばって力んでいるから」生きているのではない、と教えている。しかし、人は自分の意志で生きているのだと思いたがる。この言葉は、それを戒めているように聞こえる。

自由だと信じるのは、自身で心や肉体の働きをコントロールできると思うことである。しかし、人の生命は、宇宙の営みの一つとしてそこに置かれた小さな生存に過ぎない。人が他律的な存在だとすれば、自分の力で生きているという考えは愚かで誤っているのではないか。

人が他律的な存在だという思想は「人は宇宙の小さな一部であり、物質や他の動物と異質の存在ではない」との考え方につながる。西洋の伝統思想は、宇宙万物の中で人類だけを固有の存在として扱う。しかし、人類だけを特別視する、その根拠は何だろう。結局は、そうあってほしいという願望ではないのだろうか。仏教には、宇宙から人だけを抜き出して特別視する思想はない。むしろ、「一切衆生悉有仏性（いっさいしゅじょうしつうぶっしょう）」が示すように、宇宙万物を同じものとして扱う思想である(注3)。ここで「一切」とは動物や樹木草花だけでなく、物質も含む。仏教の教えは、生き物と物質を区別しない。一切が生きとし生けるものである。地上の動植物を超え、極小の素粒子の世界にまで達する思想である。この点で、仏教はキリスト教と大きく異なっている。

生命と物質に対して同じ目を向ける考え方に対しては、生命軽視、冷たい思想と感じる人もあるかも知れない。しかし、生命と物質を分断せず、物質は豊かな生命力を湛(たた)えていると考えることによって宇宙全体を豊かな生命として理解することは可能だと思う。その場合、物質は生命の根源とつながる。

宮沢賢治は花巻の農学校で若者を指導した人だが、ある日、教室で生徒たちに話しかける。人はなぜ生きているのだろうか。生徒たちと話し合ってもなかなか答えは出ない。本当は賢治自身も、迷い答えを持っていなかったので、生徒たちに聞いたのかも知れない。やがて誰かが「それを考えるために人は生まれた」と答える。一人ひとりが自分の答えを探す。そのために人生はある。これを聞いて賢治も他の若者も、いい答えをもらった、ときっとそう思ったに違いない。

「雨にも負けず　風にも負けず」という賢治の詩はよく知られている。彼の残した言葉をかみしめてもらうために、ここにその続きの部分を記しておこう。

「褒(ほ)められもせず　苦にもされず……決して怒らず　いつも一人静かにわらっている。そういうものに私はなりたい。」

以前、新型コロナ・ウイルスをテーマとした長時間のTV番組を見たが、ノーベル賞を受賞した京都大学の山中教授や女優、タレントの人たちが

「コロナは何の目的で増殖するのか」を論じていた。私はそれを視聴しながら、人類もまたコロナと同じではないだろうかと思った。自然界の生き物は自己増殖が普通の生態である。コロナは私たちの健康を害し、生命を危険にさらしているが、その活動自体は地球上にありふれた生態に違いない。だから、新型コロナの存在理由を問うことは、「人はなぜ生きるのか」という問いかけをするのと同じことになると思う。

一切衆生悉有仏性。生命も物質も貫く仏教思想に人の存在を知るヒントがあるように思う。

2. 歩み続けるために

人生の意味をどう考えるか。それは人それぞれの勝手で、それに尽きるのかも知れない。しかし、一方、人は弱くか細い。若者も人生経験があるはずの大人も、ときに生きることに疲れ、人生を見失うことがあると思う。そうした人の中には、遂に耐えかねて悲劇を迎える人もある。

人がそういうものだとするなら、弱い自分を励まし、道の歩みを遠くまで導くために、往く道の先に松明（たいまつ）を掲げて、足元を照らし続けることは十分に意味のあることだと思う。それが、与えられた自分の生命を燃焼させるために大切なことではないだろうか。信念を抱いて生きる。信念とは歩む道を照らす光だと思う。与えられた生命を、その命の灯が続く限り生きる。多少の迷いが生じても、くじけずに歩みを続ける。暗夜に道を見失った時は夜明けを待つ。夜の闇がどれほど深くても、太陽は必ずまた昇る。自分一人の小さな考えに導かれ、悲劇を迎えるようなことは決してあってはならないと思う。

3. 死

フランスに「別れは小さな死」(Partir, c'est mourir un peu.)という言葉がある。

学校の卒業や転勤、失恋、離婚など、私たちの人生は小さな別れの連続である。人は他者との出会いを通して交流する。だから、自分を作り上げている一つひとつの部分は交流する人たちから与えられ、また自分の一部分をその人たちに与えて生きている。自分の中に入って来た他者も、他者に入って行った自分も、それは自分の一部である。だから、そうした人々と別れた時、自分の一部もまた失われる。それは小さな死である。人生の歩みの中で、人は小さな死を繰り返し、やがて大いなる死を迎えるのだろう。

急な病気や交通事故などの場合、死はある日突然訪れる。しかし、多くの人がそうであるように、長期の闘病の後や高齢によって最期を迎える場合、死は緩やかに少しずつ訪れて来るのではないだろうか。ある日を境に生と死がくっきり分離されるのではなく、色彩のグラデーションのように身も心も徐々に変化して行く。それが死ではないだろうか。

宇宙が生命力溢れる豊かな物質世界であり、人はその中に生きているのだとすると、私たちの生命は循環し再生を繰り返すことになるだろう。だから、死は決して終わりではない。終焉ではないのだから、人は死に対して絶望や恐怖を感じる必要もないと思う。人間一人の生命は、一瞬のささやかな燃焼の現象なのだろう。しかしそれは、その儚さにも似合わず、唯一無二の尊い現象に違いない。自然界の現象がそうであるように、同じ生命現象は二つとない。一つの過程が終われば、きっと別な過程に進む。そこでまた新たな生命の営みが始まり、それが繰り返されるだろう。

《第3節》絶望の淵を歩んだ人たち

人生を歩む中で試練に直面しない人はいない。学び、働き、養い養われる中で、人は必ず試練に曝され続ける。そうした中で、人はときに絶望に落ちる。地上に生まれ落ち、歩み始めた人はみなその生身を以って、仏道の教える「生老病死」の厳しい現実を潜り抜ける生き証人となる。

以下には、試練に曝されて苦しんだ人々の話を三つ掲載する。若者はしばしば自分だけがこれほどに苦しい人生を歩んでいるのだと思い違いをするが、そうではないことに気づいていただくためである。話を読む人は、自分はまだ恵まれていることに気がつくのではないかと思う。著者の願いは、自分より辛い立場の人を思うことによって、顔を上げ、前を見て歩む心を持ち続けてほしいという一念である。

〈ある中学生の歩み〉

（以前私は、交通遺児を支援する「あすなろ育英会」の関係者から、一人の中学生が直面した試練を伺い涙を流した。その話を名前と内容の一部を変更し、本人の告白文の体裁にした上で以下に掲載する。絶望の淵に追い詰められ、目の前が暗くなり何も見えなくなった幼い魂が痛ましい。）

「親のかたきのように」という言葉があるが、中学生の頃、孝志は実の父親をそのように憎んだ。何週間も口を利かないこともあった。小さい頃からそうだったわけではない。原っぱでキャッチ・ボールをやって遊んでくれた頃の父さんは、大好きだった。一緒に風呂に入ると、大きな声で笑いながら背中を流してくれた。父さんはその頃、よくしゃべり、冗談を飛ばす楽しい人だった。それが、いつの頃からか、父親は笑わない人になった。家に帰る時間は、いつも遅く、きまって酒臭かった。よく母親をどなりちらす。手を上げることもあった。少ない給料で母さんはがんばっているのに、どうしてあんな風に威張れるのかと思う。きまぐれに「何か相談することがあったら相談しろ」なんていう。冗談じゃあない、と思う。あんな親父に誰が相談するか。本当は僕にだって相談したいことはある、将来の仕事とか。でも、あの親父にだけは絶対相談しない、そう決めている。

ある日、父親が珍しく早く帰って来て、一緒に風呂に入ろう、といい出した。また気まぐれだ、と思いながら、「もう小学生じゃないし、いいよ」と答えた。それなのに、一人で風呂に入っていると、父親がいきなり戸を開けて中に入って来た。もう頭に来た。「イヤだっていっただろう、バカア」と自分でもびっくりするほどの、張り裂けるような声を出して、体もろくに拭(ふ)かず風呂場から出てしまった。

その翌朝、父親は首に細紐(ほそひも)を巻き付けて家の梁(はり)にぶら下がっていた——。死ぬ前に息子と一緒に風呂に入り最後の言葉を交わしたかった、小さい時のように背中を流して声を出して笑いながら、「孝志、お前大きくなったなあ」そういってみたかった。今は、父さんの気持ちが孝志によく分かる。

孝志は、父親が死んでから何年も「僕が父さんを殺した」と思い続けて、苦しんだ。あの時、もしいうことを聞いて一緒に風呂に入って上げたら、父さんは自殺を思いとどまったかも知れない。そう思うと、頭をかきむし

何事のおはしますかは知らねども かたじけなさに涙こぼるる（西行）
＝GRACE 工房写真集

りたくなるほど気持ちが高ぶってくる。親が自殺したなんて誰にもいえない。交通事故で死んだとか、ガンになって死んだ、というようにしている。

母親は高校だけは行かせたいと働きに出たが、生活は苦しく、進学はもうあきらめようと考え始めた。その頃、「あすなろ募金会」の活動を知り、進学を応援してもらうために駅前や街頭の募金活動に自分も出て行くようになった。もうどうしようもなくなり、たどり着いた先が、街を行く会ったこともない人々に頭を下げることだった。黒い詰襟（つめえり）の制服を着て頭を下げ「僕たちを高校に行かせて下さい」と訴える。

白い募金箱を両手で持つと、いつも父さんの骨箱を抱くような気がする。箱の中で小さくなった父さんがかわいそうで、気がつくと両手の指で木箱を強く握り締めていた。

孝志の姿は、遠くから見ると、黒い袈裟（けさ）を着る小さな僧侶のように見えた。

〈ある人生～ひたむきな大工修業〉

（以下の話は、ある工務店の社長だった方のお話である。白川さんという。その人は現在、70歳を過ぎて夜間高校に通い、卒業後は大学に進んで勉強したいと思っている向学心の強い方だ（2016年現在）。私は、白川さんのことをラジオ放送で知り、訪ねて行って実際お会いした。風貌も語る言葉も立派な方であった。以下の文は、本人の話を独白文の形でまとめたものである。読んで、心を動かされない人はきっといないだろうと思う。）

（生い立ち）

私は、秋田の田舎に生まれ育ちました。母親が誰だか今も分かりません。育った家庭環境がややこしいです。もらい子で、血のつながらない両親に育ててもらいました。父親になってくれたのは三人です。小さな頃から障害で首が少し曲がっておりました。カリエスという骨の病気です。病気のせいで、みんなから学校で「まがり」と呼ばれ、体操の授業はいつも見学でした。私はバカで頭が悪く、勉強は大嫌いでしたが、体を動かして働くのは好きで、朝早く起きて草刈をやり、新聞配達をして、毎朝それから学校に行くんです。そんな生活ですから、教室では眠くていつも寝ていました。帰りはまた近所の手伝いをして、それでお小遣いをもらってね、毎日そんな感じでした。勉強がダメでしたから、自分は大工になる、と決めていました。学校の先生も、お前はそれがいい、といっていました。だから、勉強はやらなくてもいいや、という気持ちが強かったですね。

（大工の道を選ぶ）

中学を終わる時、大工の訓練所に入るテストを受けました。ところが、6人受けて私だけ落とされましてね、校長先生が心配して走り回り、どうして落ちたか理由を聞いてくれました。そしたら、訓練所の方では、私に障害があるから心配だというんです。校長先生は、大工仕事には何も困らない障害だ、何とか入れてもらえないかと頼み込んでくれて、それで訓練所に入ることができました。私一人のために一生懸命走り回ってくれた校長先生が今も忘れられません。ずっと名前を忘れずに覚えています。

訓練所に入って、一生懸命かんな削りをやっておりますと、毎朝、中学の時の同級生たちが高校に通って行く姿を見かけました。一緒になって楽しそうに、学校に歩いて行く姿を遠くから見て、私はみんなと別な所にいる自分が寂しくなって泣きました。あの頃を思い出すと、今でも寂しくなって、辛くなって、涙が出てしまいます。でも、自分で選んだ道だから、とそういい聞かせてね、また、かんな削りを一生懸命にやっておりました。

（修業時代）

訓練所を終わると、東京に出て住み込みで働きました。住み込みといっても、棟梁（とうりょう）も貧しくてね、夫婦でたった一間のアパートに住んでいて、私はドアのすぐ内側に板を敷いて、そこに布団を敷いて寝ておりました。今ではちょっと考えられないと思いますけど。おかみさんが晩御飯にコロッケを食べさせてくれたことがありました。それが嬉しくてね、初めてアツアツのコロッケを食べた時は、世の中にこんなうまいものがあるのかと思いましたよ。それまでコッペ・パンを食べたことはあったんですが、コロッケはなかった。コロッケの味は、ほんとに感激しましたよ。あの頃は、辛いことより、そういう嬉しいことの方が多かったし、嬉しいことの方をよく覚えています。

秋田から出て来る時は、大工仕事はもう大分覚えたという自信があったんですが、東京に来たら、周りの人は皆腕がいいんです。驚きましてね。だから私は、先輩たちが休憩している間も休まずに動き回って仕事を覚えました。夜遅くまで働いて、朝起きるのはいつも6時でした。ポケットに入れたコッペ・パンをかじったりしながら、いつまでこんな苦しい生活が続くのかな、とそう思ったこともあります。

何をするにも元手が大切だと思って、お金を貯めました。給料に3万5千円もらって、3万円を毎月貯金しました。小遣いはあまりないですが、楽しく暮らしました。

(父の家を建てる)

23歳の時に、育ての父親が秋田に家を一軒建てさせてくれました。「失敗してもいいから」といってくれました。長いこと大工をやっていても、自分で家一軒を建てたことのない大工はいます。私は23歳でそれをやらせてもらいました。

家が建った時、父親は喜んで酒に酔って、初めてあんなにベロンベロンに酔っ払った父親を見ました。血はつながっていないけれど、自分の育てた子供が大きくなって家を建てるようになったのが、よっぽど嬉しかったのだと思います。父は、立派な人でした。血がつながっていないのに、私を育ててくれたこの父親に感謝しています。家は、今も建っていて、秋田に帰ってそれを見るたび、よく自分で建てたなあ、とそう思います。

（ひたむきな心）

世の中は、不公平なことがたくさんありますね。でも、不公平だと怒って、文句をいっても始まらない。人間はね、自分を幸せだと思えば幸せだし、不幸せだと思えば不幸せだと思うんです。楽しく暮らそうと思えば楽しく暮らせるし、その反対もあると思います。

人は植物のようなものですね。時が来れば育つし、大きくなって花が咲く。自然のまま世の中の片隅でそっと生きられればいいと、そう思っています。肩に力を入れなくてもいい、そう思えば気が楽になります。

人からバカにされても、自分の周りで腹の立つことがあっても、それを受け流す心が大切だと思います。小さなことでも、怒り出したらもっと腹立たしくなってくるし、自分の心が辛くなってきます。だから、小さなことはちょっと我慢して、そうしていれば辛いことはいつか忘れるし、心持ちも穏やかにしていられます。

白川さんは、貧しさの中を必死に生き抜き、試練に耐え、そこから得がたい知恵を感得した人だと思う。

〈焼場に立つ少年〉

（その写真は、終戦直後の長崎で米国人写真家によって撮影された。10歳くらいの少年が裸足で立っている。カメラの眼は、その少年を右斜め前から捕えている。栄養失調のせいだと思うが、ひどく痩せた姿だ。それでも、原爆を投下した敵国の写真家に卑屈な姿は見せまいとする、気迫と一瞬の息遣いが捕えられている。口を結び、まだ幼いのに侍の静かさを湛(たた)えている。）

少年は、死者を焼くための施設（焼場）で順番を待っている。焼くのは、背中に負った小さな妹（弟とも）である。哀れ、その子は、頸を力なく後ろに大きく捻じ曲げたまま動かない。頸を支える力はもうない。夢を見ているようにも見えるが、わずかに痛みをこらえているような表情にも見える。この世にいたのはわずかの時間であった。しかし、その間に、この幼い、無垢の子は、この世の地獄を見せつけられて死んだ。

長崎にピカドンが落された日。午前11時2分。少年は家の二階で、仲良しの妹とお絵かきをして遊んでいた。おどけた顔の絵を画いて上げると、妹はキャッ、キャッと声を出して喜んだ。夏休みに入って二週間目。遊ぶのが済んだら、学校の宿題をやろうと思っていた。そこへ突然、見たこともないほど強烈な、真白な光が音もなく、サアーッと窓の外から入って来た。何だと思った瞬間に、ドッスーンと来て意識を失った。その後のことは何も分からない。どのくらいの時間が経っただろう。気が付くと、自分の家も周りの家々も潰れてペシャンコになっていて、あちこちに火の手が上がっていた。母は一階にいたので、潰れた家の下敷きになったと思う。すぐ母を助けようと思ったが、助けようにも火が迫って来て、もうどうしようもなく、そこにいたら自分も妹も焼き殺されるだけだった。三歳の妹は顔にけがをして泣いていた。息もできないほど空気が熱く、それが苦しくて泣いていたのかも知れない。

妹を抱えて走り出すと、路上には黒くなった人が焼かれた丸太のように、たくさん転がっていた。平たい石を踏んで転びそうになったので見ると、それは指の付いた手だった。そんな中を、勢いよく走り抜けて行く人もいる。何人か一緒に輪になって、道端に立ち止まって大きな声で話し込んでいる人もいた。誰もかれも、一体、長崎に何が起こったのか分からず怯えていた。人々が着た洋服は体には付いているが、ほとんど燃え尽きて、よれよれの乞食のような姿だった。目に入る人たちの顔や肩、胸、足などは火傷で赤黒い。くるぶしから脛の裏側の辺りが青白く燃えているのに、かまわずそこに立っている女性もいた。燃える肉の間に白い骨が見える。燃えながら立つその人を、近くで見た人が燃える足を指差し、その火を消して上げるのが見えた。道行く人の中には、絵の中で幽霊たちがそうするように、両手を前に差し出し掌を下に垂らして歩く人が何十人もあった。火傷で手が熱く、痛くてたまらずにそうする他ないのだろう。橋まで来ると、袂の辺りには爆風と火災を生き延びたたくさんの人が集まっていた。その周辺は、建物は倒れていたが、火は上がっていなかった。近くに座った人たちはうなだれ、ほとんどの人は放心し、話をする人は少なかった。そこへ軍のトラックが来たので、乗せてもらえるかと思ったが、トラックは一たん停止し、その後すぐまた火の盛んな方に向かって走り出し、去って

死んだ妹を背負い焼き場に立った少年
＝ジョー・オダネル氏撮影

行った。「助けてくれ」と叫びながら、トラックに飛び乗ろうとする人があったが、乗り込んだ軍の人たちから投げ飛ばされていた。

妹は、背中でおとなしくしていた。途中まで泣いていたが、橋の近くまで来ると、安心したのか静かになった。少年は、これで助かったと思ったとたんに喉の渇きを覚え、水を飲もうと川まで下って行った。そこには、水を飲むために集まった人たちが、数え切れないほど大勢いた。まるで、三途の川に辿り着いて、渡ろうか渡るまいか思案に暮れた死者たちのようであった。ようやく着いたのに、岸辺に倒れ込んで少しも動かない者もある。中には、動かないまま、水、水、と力のない声で誰かに水を所望する者もいる。水を飲んだ後に、笑顔になってすぐ死ぬ者もあった。水、水、水、水、水。そこにいた人々は、もうその言葉にしか用がなくなった人間のように、岸辺には水という言葉だけが溢れ、低く響き渡り聞こえていた。川面には真っ黒になった死体がたくさん流れている。それでも、少年は水を飲もうと思った。汚いとも嫌とも思わなかった。喉が乾いてたまらない。

ピカドンを一緒に生き延びた妹は、それから5日後に死んだ。食べる物が何もなく、二人で水だけ飲んで日を過ごした。死んだ妹の小さく空いた口を覗くと、火傷で大きく膨らんで真っ赤になっていた。逃げる時に火を吸ったのだろうか。痛くて苦しかったろう。これだともし食べ物があっても、食べることはできなかったのかも知れないと思った。

写真に写った少年の顔には、憎悪も絶望もない。表情は、澄んでいる。しかし、その眼は三歳の妹を殺した敵国人カメラマンの蔑みと憐れみを拒んでいる。近いうちに、自分もまた妹の元に行く覚悟をしている目である。

《第７章》

希望

宇宙のなかに存在するものは全て、偶然と必然との果実である。

——デモクリトス

「一切即一(いっさいそくいち)」「一即一切(いちそくいっさい)」

——華厳経

《第1節》存在と無力感

1. 人生の無力感

人は日常の生活の中で、憂鬱な思い、無力感に襲われることがある。気が晴れず、心が塞ぐ。何か具体的な出来事が引き金になることもあるが、そうではなく、はっきりしない何かが日々の底に重しのように潜んでいる場合もある。重しの正体は何だろう。重しの正体がよく分からないため、人は無力感に陥る。無力感の中で、人は未来に希望を抱くことを忘れてしまう。

2. 無力感の原因

人々がときに襲われる無力感の原因は、自身の存在をめぐる二つの自覚にあるのではないかと思う。一つは有限性の自覚、もう一つは必然性の自覚である。

有限性の自覚とは、自身の存在に終焉があることを認識することである。ここで、有限性は時間・空間の基準で分けることにしよう。存在世界を時間と空間に区分けするのは誤謬であるかのも知れない。その疑念はある。

しかし、ここでは一つの手がかりとしてその二つに分けて考察しよう。この基準に従えば、時間的有限とは死であり、空間的有限とは限りなく微小な自我（存在）の自覚である。

《第2節》存在と自覚──死と必然

第1節に挙げた無力感の原因について、ここでもう少し考察してみよう。

1．有限性の自覚

(1) 時間的有限─死

人は誰しも遁れることのできない死の宿命を思い、やがて訪れる終焉に怖れと寂寥、諦念（ていねん）を覚える。死は多くの人にとり、人生において最大の謎、重荷かも知れない。老年に至ると、毎日のように死を思う人もいる。死を怖れるのは、おそらくそれによって全てが奪われると考えるからであろう。しかし、人体を構成する無数の素粒子は死によって消滅することはない。死後、素粒子ははるか彼方に拡散するであろうが、やがて何かの形態を取った宇宙の存在物の、その一部となるだろう。それは再生である。

世界の成り立ちを物質と生命によって説明する二元論は、物質を生命なき機械と考えるだろうが、世界を生命力あふれる物質の構成物と考えれば（一元論）、世界は死の静寂を湛（たた）えた虚無ではない。それは絶対的な消滅でも絶望でもない。死は再生とつながった転機である。

(2) 空間的有限―自我の矮小化

一人都会の片隅に立ち、見知らぬ人々が通り過ぎて行くのを見ていると、人は孤独と疎外を感じる。また、一人部屋にいて、「選挙などに行っても仕方ない」と感じたとすれば、それは圧倒的大多数の中で感じる無力感の一例に違いない。さらに、大きな社会的成功を収めた人物に対する羨望と嫉妬は、他者と比較した己の無力に原因があるだろう。

人は宇宙的視点から見ると、きわめて微小な存在である。それだけではない。いま書いたように、一人の社会人としても、自己を矮小化しようとする動機はいくらでも見つかる。社会には、優れた人々が数え切れないほどいる。自分が小さな「つまらない」存在であると考え始めると、孤独と無力感はすぐそこに手の届くところまで来ている。

自我を圧倒的多数者の中に置き、又は優れた他者と比較することにより、人は自我を矮小化して考えることができる。しかし、矮小化し微小化した自我の姿を造り出したとして、果たしてそこにどんな意味や価値があるのだろう。

地上に生命が与えられた以上、人は健やかに伸びやかに生命を燃焼させたい。己に宿る生命を閉塞させ停滞させたいとは誰も思わない。それなのに、人はどうして自我を矮小化し、集団の中に埋没させようとするのだろう。そこには、他者からの攻撃目標となることを避けようとする、逃走本能に近いものが隠れているのかも知れない。それによって存在の影は薄くなり、他者からの攻撃の危険がやや減少するのかも知れない。しかし、矮小化を強いられた自我は光輝を失うだろう。その姿は、結局、自身を苦しめ成長を阻むことにならないだろうか。そうした人生に喜びはあるだろうか。

2. 必然性の自覚

必然性の自覚とは、人生は決定論に支配され軌道を走るだけで選択の自由はないと観念することである。人は機械仕掛けのようなものだという考えを聞いて喜ぶ人はいない。多くは不快になるだろう。死もまた一つの必然である。だから、人は死を遠ざけたいと思うのかも知れない。なお、死は必然であると同時に時間的有限の問題でもある。ここでは、死を時間的有限として扱い、それについてはすでに述べた。

人生は必然の支配する軌道を進むものだとしても、必ず一分の隙もなく完全に支配されていると考えなければならないわけではない。法則の支配を受けつつ、その中で人は自身を制御し、道を拓いて生きる存在であると考えることはできるのではないか。

すでに人の「小さな目」、広大な宇宙の「大きな目」について書いた。私たちにとり自由と見えるものが、実は大きな必然と法則の中にある可能性がある。ブラウン効果によって、コップに入った水の分子は衝突を繰り返し、飛ぶ方向も読み切れないが、人の目から見た水は同じ形態を維持している。個々の動きはばらばらで規則性からかけ離れているように見えるが、全体は整合性の中にある。

こうした関係は、乗り物を使った譬えで説明できないだろうか。広大な宇宙を走る自動車、鉄道、航空機などの交通網があって、それは時間も目的地も正確無比に運行されているとしよう。私たちはそのいずれかの乗客である。時折、乗り換えの自由がある。その場合は、空席を確保するため誰かが降りなければならない。乗り換えたくても、空きがなく、又は料金が足りず、さらにはパスポートを携帯しないなどの理由で拒絶される場合もある。中の乗客は変わることがあるものの、いずれかの乗り物に乗っている人の数は一定不変である。

人は、目に見えない乗り物に乗って生活している。疲れて惰性の日々を送る人もあるが、刻苦勉励してノーベル賞のような大きな賞を手にする人もある。交通事故に遭った後、リハビリによって障碍者スポーツに打ち込み有名な選手になる人もある。ときにはまるで別人になったように、今までの自分を変えようと懸命になる人がある。そうした非凡な意志や能力を持っている人は、宇宙を走る乗り物を乗り換えようとしている人かも知れない。努力が本物である場合、その人は新しい乗り物に乗り換える資格を認められるだろう。逆に、乗車の資格を奪われ、乗り換えを要求される人もあるかも知れない。

自由と必然。それは見方によって変わるものなのかも知れない。自由にも見えるが、必然にも見える。人類は、宇宙を突切って走る乗物の窓からそうした不思議な景色（相）を眺めながら地上で暮らしているのだろう。

末梢と中枢

人は何もかも脳で考え、そこが司令塔になって動くのだから、身体で最も大切な部分は脳だと誰もが考える。社会組織の中でも、国が法律を作り国全体に関係のある事柄について意思決定をし、それを地方に指令するのだから、国は県・市などの地方組織よりも重要な役割を果たしていると皆考える。中枢と末梢。中枢こそ末梢を支配し、制御しているという見方である。

しかし、そうした見方を覆すような、末梢が中枢を操作していると思える事例も少なくない。例えば、けがや急病で私たちの身体に異変が起こると、脳は患部の緊急事態にかかり切りになる。脳は、適切な対応を割り出して指令するために、末梢から逐一送られて来る信号に大きなアンテナを張り情報処理に懸命になるだろう。電話局に喩えると、特定の地域からの接続が異常に増え回線がパンクしたような状態である。

軍国時代の日本は、満州の関東軍が東京の再三の指令に従わず作戦行動を拡大、ついに対米戦に突入するという経験をしている。末梢が中枢を乗っ取ったような話である。家庭内にもしばしば未成年の暴君がいて、親を振り回し新聞沙汰になったりする。平穏な生活を送っている家庭でも、子供に対する配慮や心配事が生活の中心となっている例は多いだろう。中国は「一人っ子」政策を採っていた頃、親達は子供を「小皇帝」と呼んでいたそうだ。

ベトナム戦争が終わって三十年後、アメリカの元国防長官マクナマラとベトナムの元軍司令官がハノイで和解の会談を催した。「アメリカが全面戦争に突入した発端は、ベトナムの戦闘部隊が米軍基地に突入した事件だった。なぜそんな暴走を許したのか。」と話すマクナマラに対し、ベトナムの元司令官は、「それは、アメリカのように中央が国のすべてを支配し、掌握している国の言い分である。私たちのような国では地方毎、部隊毎にそれぞれがある程度独立した単位となって活動している。中央が全てを統制、支配することなどできない。」と語っていた。

地球上の国々は、中央の決め事が地方に確実に迅速に行き渡る国ばかりではない。それは、法制度や警察組織、教育、公務員の廉潔(れんけつ)さらには通信、輸送といった事情が十分整備されてはじめて可能になることである。世界にある190余りの国のうち、それが実現している国々はほんの一部である。多くの国々では、未だに戸籍が定かでなく、識字率は低く、列車の時間はまちまち（半日遅れも）、郵便の届く日数も不明（ときに届かない）である。

近代国家とは、すべての権力を中央に集中した組織、領土内の事柄を一元的に統制した組織のことである。中枢が末梢を支配した組織である。21世紀の地球上に存在する国々すべてがそうした意味の国家ではない。ベトナムの司令官の話は、このことをよく教えていると思う。

《第3節》死をめぐる考察

死は、主に老人の関心事である。老人の中には、死の観念に取憑かれ、絶え間のない心労に襲われている人もいる。若い人は死をあまり思わない。しかし、若い人にも、心の底には死を思う心が沈んでいる。それによって無意識に心が塞ぐこともあるだろう。以下には、死について考察してみよう。

1．死

死は一切を奪う。だから、人々は死を恐れる。そういわれる。たしかに、そうであるようにも思える。しかし、死によって何もかも失うというのは本当だろうか。人生は人さまざまだが、多くの場合、子供に命を与え多少でも財産を残すだろう。家族や友人の記憶の中には、ともに過ごした日々が映画の映像のように詰まっているだろう。人が死を迎えるのは、多くの場合、すでに十分地上で時を過ごしたからではないか。熟れた柿が落下するようなものだ。

もしいつまでも生きているのだとすれば、著者にはその方がはるかに空(そら)恐ろしいことに思える。死にたくないという人は、まさか妖怪のような老醜をさらしながら生きていたいと思ってはいないはずだから、つまりは今の姿のまま食事をし、散歩し、旅行をしたいというのであろう。「年は取りたくない、時間よ止まれ」といっているのである。そんなことは無理難題。できない相談である。

死が恐いという人は、死そのものより、おそらくは死に方や死後の恐怖を頭に描いて慄(おのの)くのだと思う。死に方とは、例えば車に衝突されて身体が破壊される、飛行機が急降下して墜落する、ガンになりベッドで痛みと絶望の日々を送る、などのことだ。死後の恐怖とは、焼き場で焼却炉に入れられる恐怖、骨粉となって暗い墓石の下に押し込められる、もう愛する誰とも言葉を交わすことができない、などであろう。

しかし、死後になったら人の感覚は消え、もはや恐怖を感じることもない。だから、そんなことを先回りして心配しても始まらない。焼場の火を熱いとも痛いとも何も感じないだろう。夜、熟睡中に何も感じないのと同じだ。死はこれ以上ないほどの熟睡である。

この世に死を経験した人はいない。今生きている人が、死をあれこれ想像しても空しいだけだ。それでも恐いと語る人は、感じたこともない、これからも絶対に感じることのない恐怖を語る人である。私にはそうした人の姿が、空が落ちて来ることを心配して毎日思い悩む人のように見える。

2. 現代人と死

(1) 遠ざかる死体

現代人は、死体を拒む。死体が出れば、その処理を請け負う職業人たちに直ちに一切を委ね自分は関わらない。だから現代人の中には、死体を一度も見たことのない人が少なからずいる。

人類の歴史は、蔓延する疫病とともにあった。『方丈記』には、道に倒れた疫病死の人たちによって、京の都が酸鼻の極みに達した様子が、生々しく記されている。死と死体は日常の風景の中にあった。仁和寺の僧侶が死体のあまりに多いことを悲しんで、仏縁を結ぶために死体に「阿」の文字を書いてその数を数えると、京都の一部地域だけで四万二千三百余りあったという。

疫病の他にも、飢饉、洪水、火災などがやむことなく続く。恐ろしい地震で家が倒壊し、川べりの黒い土砂が崩落して水に呑み込まれる様子が描写されている。川には流れ行く丸太のように多数の死体が浮き沈みしているのが見える。

地上に姿を現して以来、死は人々のすぐそこまで切迫し、手が届くところにあった。絵巻物などに鬼や餓鬼が描かれて残っているが、頬がこけて目がぎょろりとこちらを見ているあの顔は想像などではなく、人々が実際に目撃した死に顔ではなかったか。絵描き自身も人から聞いて描いたのではなく、その目で何度も見たことがあったに違いない。現代世界で人は死体を見ることがなくなったために、死体は人々の意識から遠ざかって行った。死体だけではない。死そのものが、人々の意識から抜け落ちて行ったのではないだろうか。

(2) 現代人の意識の底

現代人にも、観念としての死は脳裏に潜んでいる。しかし、それは古代人たちが見た生々しい死ではなく、観念の、空想の死ではないだろうか。死があることは知っていても、そこに死の実感はない。

現代人にとって、自分の死を想像することはただ恐ろしく、あり得ないことに思える。しかし、古代の日本人と同じように、日常の中で死を間近に見ることによって、人は人生の儚いことを実感することができる。何しろ昨日まで話をした人が、今日は冷たくなって動かないのだから。日本には世をはかなんだ和歌が多数残っているが、それは実際に死体を数多く目にした日常と無関係ではないと思う。

現代人が死体を遠ざけるのは、人がただの、生き物に過ぎない事実を認めたくないのだろう。自分は自然の一部などではないと思っている。これほど精神が発達し、自由に考え行動する人間が、他の動物みたいな、ただの生き物であるはずがない。そう、思いたい。しかし、人が死を迎えた途端、死は人を完全に支配し、人がただの生き物であった事実が誰の目にもあからさまに映る。しかし、生き残った者たちはそれが受け入れられず、脳内には生前の死者の影が浮遊する。幽霊である。

思い上がりが死体の拒絶を招く。そうだとすれば、現代人の尊大な思想は死体を受け容れることによって変化し始めるかも知れない。人は誰しも当たり前に死んで行く。自分もそうだ。それは何も特別なことではない。死を見つめることは、人が自然界の中に生きる、小さな存在であることを思い起こさせてくれる。それがやがて、人間を特別扱いする、尊大な思想を変えることに繋がって行くかも知れない。

3. 死生観をめぐる思想

(1) 日本人の死生観

日本人の死生観を探るために、短歌に歌い込まれた死、禅と武士道の精神を振り返ってみよう。死生観とは、「生き死に」をどうみるかのこととされるが、何よりもまず死をどう見つめるかの問題である。死の見方が、そこに至る人の生き方、生きる姿勢に影響を与える。そこにおいて、死生観は生を全うするための原理として働くだろう。

禅と武士道は、現代日本人の精神の底流になお息づいていると思う。過ぎ去った時代の遺物ではない。海外の暮らしを経験した日本人たちの中に、そうした感慨を抱く人は少なくない。異質な文化の中に身を置き、我が身と母国を省察する機会を得たことによって、心中に禅と武士道の特異性が浮上するのだろう。

①歌に詠まれた死

日本には、人生が儚(はかな)いことを訴える歌が数多く残されている。

空を行く月の光を雲間より　見てや闇にて世は果てぬべき（小野小町）
＝夜空を行く月の光が雲間から煌めいたと思う間もなく再び雲に隠れる。人の世もその一瞬の煌めきのようなものだ。

死を前に切拍した思いを述べた次のような歌もある。この中世人にとり自身の死はやはり受け入れ難く、動揺の思いを告白しているのであろうか。

つゐにゆく道とはかねて聞きしかど　きのふ今日とは思はざりしを（在原業平）＝誰しも、いつかはきっと行く道とは聞いていたが、まさか昨日今日のこととは思いもしなかった。

ここで「ゆく道」とは死のことである。この歌が訴える死は、現代人の感覚に近いのかも知れない。死体を身近に見慣れた古代人であっても、およそ人は自分の死を前にすると、時代を超えてそうした思いに襲われるということだろうか。

②禅宗

江戸期に、禅の境地を説いた法語集に「死をいとふは死を知らぬ故なり」（死を嫌うのは、結局死が何であるかを知らないために起こることである）という言葉が見える（注1）。そこに、リアリズムの表出が見てとれる。後に出て来るエピクロスやモンテーニュなど欧州の思想に極めて近いものがあると思う。

③武士道

江戸期・鍋島藩の山本常朝が著した『葉隠』は、武士道の境地を示した書として名高い。その中に「武士道といふは、死ぬことと見つけたり」という言葉がある。これは武士の心得として「死に狂い」を求めたものと説かれる。ただし、「死に急ぎ」を説いているのではない。日本の思想史において、死が生を全うするための原理であることをこれほどまでに明白に示した言葉はないと思う。

死が生の原理であることは、『葉隠』に示された次の記述にも表れている。「毎朝毎夕、改めては死に死に、常住死身になりて居る時は、武道に自由を得、一生越度(おちど)なく、家職を仕果つべきなり」(毎朝毎夕、常に死に接して生活することによって身は改まり、武道に落ち度なく、主君に対する勤めにおいてもまた全うすることができる)(注2)。

一方、『太平記』に「命は鴻毛より軽し」(人の命は鳥の毛ほどの重さもない)という言葉が見える(注3)。これは、14世紀の日本武士道の思想を表現する。武士道の考え方は、命を何事にも勝る重大事と受け止める現代人の感覚と著しく乖離するだけでなく、そうした死の捉え方を厳しく戒めている。対極の死生観である。

(2) 欧州の死生観

①哲学者たちの箴言

死を省察した西洋の哲学者のうち、古代のエピクロス(注4)、近代のモンテーニュ(注5)、現代のサルトル(注6)には共通した考え方を見出すことができる。

エピクロスは、死は何ら恐ろしいものではないと断言する。生きている限り死はなく、死を経験することはない。死は経験不可能なものであるから、生とは無関係で異質なものであるという。

また、モンテーニュは、『エセー』の中で、「死は無よりも恐れなくてよいものである」「(死は) 死んだときも生きているときもおまえたちとはかかわりがない。なぜなら、生きているというのは、おまえたちがこの世にいるからであり、死んだというのは、もはやこの世にいないから……」であると書いている(注7)。

さらにサルトルは、死は生きている人とは何の関係もない「一つの偶然的事実にすぎない」という(注8)。

こうした哲学者たちに共通するのは、現実を冷静に見つめようとするリアリズムである。リアリズムとは、感情や情緒に囚われることなく、物事を冷静に観察し記述しようとする立場のことだ。情ではなく理で語る姿勢といってもよい。

人は、死を日常の断絶つまり非日常の出来事として捕える。こうした場合、人は取り乱し感情が入り乱れ交錯する中で、理の世界とは無関係の想念を生み出す。それは、脳が自身の感情の暴発を抑え、慰謝する必要があるためかも知れない。ときに脳は、ありもしない、非現実の、気まぐれの幻想を思い描く。

三人の哲学者が死をめぐって残した箴言(しんげん)は、空想とは無縁の徹底したリアリズムに貫かれている。

現代英国の宇宙物理学者スティーヴン・ホーキング博士は、「人の死は、家電が壊れて動かなくなるのと同じだ」と語った。彼もまた徹底したリアリズムの目を持った人であった。

②パリの墓地探訪

パリ市は東京に比べれば小さな都市である。世田谷区と同じくらいの面積に200万ほどの人々が住む。そのパリには、大きな墓地が市内のあちこちを占めている。

2005年、パリ市のモンパルナス地区にある地下墓地（catacombe）を訪問したことがあった。墓地がいつから使われて来たものか定かではない。わりと新しいという話もある。そこには、数百万体の骸骨が、剥(む)き出しのまま積み上げられていた。そこにたどり着くために、三メートルくらいの垂直梯子を二つ下りた。降り立つと、そこは外気とまったく違った冷気が漂っていた。地下をくり抜いてできた空間に区画を設け、区画毎に数千（数万？）の単位で骸骨が整然と積み上がっていた。地震国日本であれば、骸骨はどれだけの回数崩落したことだろう。フランスに地震のないことが骸骨の積み上げ方を見てよく納得できた。天井まで四メートルほどの高さがあったと思う。区画を左右に見ながら、その間を通路が蜿蜒(えんえん)と進む。途中、一つの区画に銘が打たれていた。

——ここに眠る者たちもかつてはあなた方と同じように笑い悲しむ人間であった

4. 死と希望

モンテーニュは『エセー』の中に「哲学をきわめるとは死ぬことを学ぶことだ」と書いている(注9)。哲学の研究によって、精神は肉体の外に引きずり出されるのであり、それは死の練習、模倣に他ならないという。

彼は同じ個所で、世の中のあらゆる知恵は、結局死を恐れないように教え込むためにあると書いている。これは貴重な示唆である。書を読み、人生と死を考察することによって、人は死の恐怖を乗り越えられると断言している。

モンテーニュは、学問の原点を語っている。なぜなら、「存在を思え、汝の日々の苦痛は和らぎ、消えて行くだろう」と語っているのだから。さらにまた、彼の説くところは、人の希望につながっている。絶望を思う必要はないぞ、と語っているのだから。

《第4節》 必然と希望

1. 人類は特別な存在か

人に自由意志があるという思想の根底には、人類だけが宇宙の法則から解放された特別な存在だという考えがあるのだろう。特別だと考える背後には、人だけが言語を操っているという思い込みがあるのではないだろうか。

しかし、音声と文字だけが交信手段ではないし、それだけが言語ではない。緻密な集団を組んで行動する生き物が、統制の手段を用いていることは明らかである。例えば、アリは体内からフェロモン（pheromone）を放出し、それで他の個体の行動に影響を与えることが知られている。ミツバチなどの昆虫にも、フェロモンを放出するものが多数発見されている。さらに、コウモリは超音波、クジラは水中を走る音響効果を利用して他の個体と交信している。こうした動物などの不思議な力については、〈巻末資料〉（資料1）に「生き物の不思議」として収録した。

地上世界では、多くの生き物が多様な通信手段を利用して棲息する。人類だけが言語を使用する高等動物であるとは到底考えられない。集団を成して生存する動物は、秩序の維持、統制のために例外なく言語を持っているだろう。

言語の能力だけでなく、人類は自身の持つ知的能力を高く買いかぶり過ぎていないだろうか[注10]。確かに、人類は航空機、ロケットを製造できる。しかし、鳥は自身に飛翔能力を具えている。渡り鳥の能力は驚嘆に値する。また、人類はあらゆる手段を駆使して遠隔地で生産された食料を調達するが、植物は移動せずに自給できる。移動できないのではなく、移動の労苦を消滅させ生存できる手段を獲得したのである。植物が生命体として動物に劣っているとは到底思えない。人は常に動物を植物より一段上に見る一方、人を他の動物より上に見る。騒々しく活動する生き物を序列の上に置く。基準も不明な、そうした序列にどんな意味があるのだろう。

2. 自由は幻想か

人の脳の中にはいつも映像が走り、言語活動の形跡がさざ波のように起こっている。それは雑音のようでもあり、記憶の切れ端でもあり、さらには来週のスケジュールの咀嚼であったりする。飛行機雲のようにも思える。人は空を見上げて、自身の脳に描かれ形跡として残った観念、映像、感情の流れを見ている。意識のスクリーンを見て行動に至る流れや経路を知っているために、人は自身の行動は全て支配下にあると思っている。

これと違い、アリが地面を這って進む様子を上から見る場合、アリが集団行動のためにフェロモンを放出しても人には感知できないし、アリが考えることも行動の理由もさっぱり分からない。何も理解できないから「アリに自由意志などない」と思うのではないか。

人は自身の行動に至るまでの流れを脳内のスクリーンで見ている。それが意識というものではないか。しかし、見ているといっても、それで行動を支配しているとか、自由意志があると断定してよいものだろうか。それに、いま意識と書いたが、その意識は明確な場合もあるが、微弱なことも多く「意識し目的を持った行動」とはいい難い場合も多い。

そもそも、自由は法則や必然と対立するのだろうか。広大な宇宙に輝く星雲、無数の天体が、人の目に万華鏡のように映し出される。そこに映し出された被写体は、気が遠くなるほどに永い時間をかけて移動している。宇宙全体がこの瞬間においても光速で膨張しているという説も有力である。そこに自由や意志はあるのだろうか。そんなものはない、と断定する人もあるだろう。しかし、アリの言語が理解できないように、天体の言語が解読できないために「意思はない」「自由はない」といっているだけではないのか。

外から見ると法則と必然に従っているだけに見える動きが、内面を覗いて耳を傾けると、雑音（といっても音声とは限らない）が聴こえ意志ある者の息吹（いぶき）を感じる。そういうことがないと断定できるだろうか。

必然と自由は対立するという断定、思い込みは誤謬であるだけでなく、誤謬が存在を危うくするという意味において、危険な考え方のようにも思える。

宇宙のすべては精密な法則に従い、決定論の軌道の上で進行するように見える。極微な世界に目を向けると、素粒子の運動が見え、そこには波動と揺らぎの現象が起こっているだろう。宇宙は、選択の余地のない必然に従って波打っているのだろうか。

人は、自身の自由意思を信じたい。必然によって人と社会の進む方向が決定されているという思想は、人を不快にする。およそ「人間性」「人間的な」という概念は、自由意志と深く結合したものだ。自由だから人間なのであり、自由でなければ人間的ではない。そういう思い込みである。しかし、自然界の法則からかけ離れた自由などあり得るのだろうか。自由は、自然法則に支配された宇宙に存在する人類の自由である。法則から切り離れた自由、それに従わない自由を想定し、人が自由な存在だと考えるなら、おそらくそれは人間の傲慢に過ぎない。近代は「自由で主体的な人間像」を生み出したが、それはそうした人間像こそが、人間の傲慢を満悦させる、心地の良いものであったからに違いない。「自由を打ち消す思想など信じたくない」。近代人はそう思ったのであり、それはそのまま不遜なる人間存在の限界を物語っている。

もう一度書く。人が自身を自由と思うのは幻想に過ぎない可能性がある。因果の過程は法則に従い粛々と進行する。人は、その過程が映像となって意識のスクリーンに映し出されるのを見て、自身の自由な意思によって行動を決定し支配していると思い込んでいるのではないか。周辺世界も自分の存在も、人が捕らえる世界は感覚が機能する極小、微細な一部に他ならない。ほとんど何も見えていない。先が見えていないために、感覚世界は自分の支配下にあると錯覚を起こすのではないか。それとも、周辺世界に対する支配欲が強すぎて、支配できていると錯覚したいのだろうか。

人は法則から自由な存在ではない。それは、必然の大海原に浮かぶ一枚の葉に過ぎない。その木の葉は、小さな感覚器官を具えている。わずかに機能する感覚には、周辺の現象や波に揺れ動く自身の姿が映し出される。その感覚は、微小の存在にも似合わず、攻撃性と支配欲に富んでいる。木の葉はやがて、大海の波に翻弄されて揺れる自身の姿を忘れ、又はそれが見えなくなって、自分の意思によって縦に横に動いているのだと信じるようになった。それが、近代以降、自由と主体性を獲得したとされる自我というものの正体ではないか。そこにあるのは、身の程知らずの傲慢と勘違いである。

3. リンゴに自由意志はあるか

秋の穏やかな日和の中で、赤いリンゴが一つ、夕日を浴びながら果樹園の地面に落ちる。落下するリンゴに意志はあるのだろうか。リンゴが落下したのはただの物理現象で、そこに意志などあるはずがない。人はそう思う。その同じ人は、果樹園を歩く所有者には意志の自由があると思う。その歩みは、リンゴの様子を見に来た所有者の意志に支えられている。そう思う。意志とは何だろう。リンゴの木もそれに生った赤い実も、意志とは関係がないのだろうか。

リンゴの木は、地上に棲息する多くの生き物の特徴を具えている。二酸炭素と吸い、光を感知し酸素を吐き出す。光合成によって生命の活動源を生み出す。根元から土中の水分を吸い上げ枝葉の端々にまで行き渡らせる。動物のように動き回らないが、それは必要がないからで、樹木が立つ周辺で一切の生命現象を済ませる。それによって、太く健やかな樹幹と縦横に伸びた枝、緑豊かな葉の繁みが得られる。

種子によって、次世代の生命を遺す工夫も万端整っている。甘酸っぱい香りを放出するのは昆虫をリンゴに引き寄せ花粉を運搬させるために違いない。その「リンゴの罠」にかかるのは昆虫だけではない。農家の人々が生活のため木を植え殖やすために奮闘する。生き残りを賭けたリンゴの企みは、世の中に人の動きを作り出している。

リンゴは自身の生命を統禦し、自然界の中で生存を確保している。自己保存と子孫の繁殖。そこに意志はないのだろうか。リンゴの狙いと意図は明白だと感じるが、それを意志とは呼ばないのだろうか。リンゴの企みと生態は、動物たちが騒々しく動き回るのとは違い、静かに進行する。それは意志ではないのだろうか。

リンゴには動物のような脳はない。しかし、それは必要がないから持っていないだけであろう。また、動物の脳が作り出した指令、伝達の形態だけが意志に相当するのだろうか。さらに、植物はまったく動かないように見えるが、これも時間を早送りすると、アメーバが形態を変化させるように地上の勢力分布を拡大、縮小し続けることが分かる。人と時間感覚が異なっているだけで、植物は確実に動いている。

リンゴは、長い年月をかけて編み出した遺伝子レベルのプランに従い、季節を読み取り、水と光を測りながら生存を続ける。人も動物も自然界の法則を駆使し、歩き食べ、子孫を残す活動を繰り返す。人は自由だというが、それは「法則に従い生きる自由」である。リンゴもまた法則に貫かれた自然界で、自身の〈意図〉〈企図〉に従って、生命活動を続けている。

人に意志があるというのなら、リンゴにも意志があるのではないか。人に自由があるというなら、リンゴもまた自然界で自由を享受していると思う。

《第5節》必然と自由

1．存在の根源を問う

宇宙に必然の法則が貫徹し、そこに生きる私たちの人生も必然の軌道に導かれているとするなら、人は運命を切り拓こうといくら足掻き努力しても、それは結局意味のないことにならないだろうか。そこに、人間存在の意味や可能性はあるのだろうか。なるようにしかならないのなら徒労に終わるのではないか。結局、希望など抱いても仕方がないのではないか。もしも人生の全てが必然であるとするなら、そうした無力感に襲われても仕方がないようにも思える。しかし、人生は完全な拘束であろうか。

2．謎を解く鍵――自然と人の同一化

これについては、答えが一つあって一つしかないと思う。それは自然（宇宙）原理と人の原理は同じものと考えることである(注11)。古代インドのウパニシャッド哲学はこの思想を《梵我一如》と表現した。ウパニシャッド以外にも、二つの原理の一致を説く思想は存在する。近現代に入りヨーロッパ思想が優勢となる中で、そうした思想は下火となっただけである。しかし、現代世界で「自分は天と一致している」「自分は神と一体化した」と説く者があれば、一神教徒は「神を冒涜した」といい、また一般の人々からも「気が狂った」などの批判を浴びるに違いない(注12)。

古代インドでは、人の自我は果てしのない全宇宙を貫く永遠と一体だとする思想が、宇宙と人をめぐる最も深遠な洞察であると考えられた(注13)。必然の原理と自由の原理を矛盾なく成り立たせるにはその方法しかない。自我は世界の全てを包摂し、世界の全てと一体化する。その自我は他の人々をも包摂するだろう。

3. 主体的人間像

宇宙（天）と個人を一体化する考え方は、以上にみたように、古代インドから始まって中国、日本へと広がり、さらにヨーロッパにもその影響を認めることができる。それは、宇宙と人の関係に迫る真髄の哲学であると思う。

人は自然法則に貫かれた世界に生存するが、人生の全てを完全な決定論、必然論で理解することはできないと思う。個人我の原理は宇宙我の原理と反応し合い、それによって人は宇宙の生成に関与しているだろう。私たちは決して、暗く冷然とした世界に生きているのではない。主体的な人間像をどう作り上げるかという課題は、私たち自身の手に委ねられている。

4. 大きな整合性

第1章の〈非婚化、少子化は自然の意志？〉に書いたことだが、人は自由に行動しているつもりでいても、その結果が整合し、法則を感じさせる局面に出会うことが少なくない。例えば、男女のカップルが相手を自由に選び、子供の数も二人で話し合って決めたのに、誕生する子供の男女比は日本全体でほぼ一定である。満月の夜には交通事故が多く、満潮時に子供が生まれ、干潮時に老衰死が起こる。さらに、雌雄が交替する不思議が魚類などではありふれた現象として起こっている。そこには「個々の自由と全体の整合」ともいうべき関係が認められるのではないだろうか。「自由と必然」「小さな関係と大きな関係」といってもいいかも知れない。

この問題は、どう考えたらいいのだろう。全体の構造の中で決められた役割や位置（ポジション）は不変だが、その役割を実際に果たす人は可変的で交替の可能性があるということだろうか。つまり、特定の人に焦点を当ててみた場合、その人は役割を交替し変更する可能性がある。譬えていえば、野球をやる場合、投手、一塁、センターなど守備のポジションは固定しているが、その守備に就く選手は試合によって変更があるようなものだ。別な例を挙げると、自動車、鉄道、飛行機による交通手段が正確無比に提供され、移動時間なども不変だが、誰がどれに乗るかは乗客の選択に任されるという関係ではないか。

いまの交通網の譬えをもう少し考えてみよう。自動車、鉄道、飛行機が提供する交通網は天体の運行のように正確無比に出来上がっている。発到着の時間も目的地も、さらには経路、乗客数なども完全に既定である。これに対し、乗客がどの乗り物を選ぶかは本人に任されている。その点で、人は自由を与えられているのだが、収容数は決まっているのでどれだけの人がどの交通手段を選択できるかは一定している。自由な決定であるはずなのに、大きな手に招かれて分散し、人は乗車口に吸い込まれて行く。

地上で暮らす人々の生活に目を向けよう。そこには、時の流れのまま目標を掲げることもなく漫然と暮らす人もいれば、目標に立て努力を怠らず進む人もある。富裕な家庭に生まれ、健康にも恵まれて穏やかに生活する人もあれば、事故に遭って死線を彷徨(さまよ)い、退院して失意の日々を送る人もある。さらには、体に残った障害を負いながら、パラリンピックの選手として立ち直る人もいる。決断し、人生の目的と経路を選択する人は交通手段を乗り換えて行く人かも知れない。人によって、最初乗っていた列車か自動車、飛行機を途中で変更することがある。同一の乗り物は、目的地も経路も、運行速度も変わらないのだが、それに収容される人は変わる。だから飛行機に乗り合わせた人が、後から乗り込んでくる人たちに席を譲るために降ろされることがあるのかも知れない。

乗り物は必然、乗り換えは人の自由。もっとも、乗り換えが許されるのは座席に空席がある場合だけである。乗車を拒絶される場合もあり、無条件の乗り換えができるわけではない。野球選手になりたくても、能力がないために入団できないようなものだ。入団しても、良い成績を残せず、後進のために退団を求められる場合もあるだろう。こうした譬えによって、必然と自由の関係を捕捉することはできないだろうか。

《第6節》希望へ

1. 生きる意味

ヴィクトル. E. フランクルは、第二次世界大戦中、ユダヤ人の強制収容所で過ごし、戦後、その体験を『夜と霧』の中に克明に書き残した。収容されたのは、ポーランド南部に設置されたアウシュビッツ収容所である。彼はウィーン大学医学部の神経科教授であったが、その冷静な目で収容所の人々の様子を仔細に観察し、記憶の中に刻み続けた。

そこで彼が気づいたことは、絶望し生きることの意味を見失った者から死んで行くという現実であった(注14)。希望と日々の目標を失い、人生の目的をなくした者は厳しい生活条件に耐えることができない。死への接近が絶望を生むのではなく、絶望が死を招きよせるのである。

体験を通して得た最も大切な教訓として、彼は次のように記している——「我々が人生の意味を問うのではなく、我々自身が問われた者であることを自覚しなくてはならない(注15)。」存在は自身を獲得して行かなくてはならない。それは、問われた存在であることの自覚から始まる。収容所の内側でも外側でも、人は自身の意味を問われ続ける存在であることに変わりがない。

戦後、フランクルは大学に戻り、そこへ診察に来たある男性に向き合う。その男性は、「妻を亡くし生きる意味を失った」と告げた。彼は、男性に語る。「妻を失いあなたは絶望していますが、後まで生き残ったことによって妻に悲しみを与えずに済んだ。奥さん亡き後、あなたが生きることには意味があるのです。」(注16)

アウシュビッツ強制収容所

「今は冬で雪があるので分かりませんが、夏ここを訪れると、靴の底でパリパリという音が聞こえます。人間の骨が砕ける音です。」アウシュビッツ（Auschwitz）を訪問した友人が施設のガイドから聞かされた話である。アウシュビッツは、ポーランド南部の都市、オシフィエンチムのドイツ語名だ。第二次世界大戦中、ここにナチス・

ドイツが築いたユダヤ人の強制収容所の一つが置かれていた。ヨーロッパ各地にあった収容所の中でも、アウシュビッツはおそらく最もよく知られた悪魔の施設であろう。ドイツは、大戦中、こうした施設を使って600万人のユダヤ人を虐殺したといわれる。

戦争末期、解放のため施設に真っ先に到着したのは、日系人だけで編成された米軍部隊であった。その時に撮影された一枚の写真を見たことがある。鉄条網の外からそこに群がった人々を写したものであった。拘束された人々は、頬骨も腕も尖(とが)って、皆一様に無表情にこちらを見ていた。解放される喜びは、表情のどこにもない。感情を失ってしまったのだろうか。それとも、本当に解放されるのか信じることができなかったのだろうか。米軍部隊の一人で、その時の光景を知る日系人がTVのインタビューに答えて語っていた。この老いた元兵士は、目を細めて記憶に残る過去の映像を手繰り寄せながら施設の周辺の様子を話していた。しかし、ユダヤ人たちの様子に話が及ぶと、途端に彼は絶句した。彼らの無表情な目と家畜のような姿が思い浮かんだのに違いない。沈黙の後ようやく、彼は声を振り絞りながらいった。「なぜだ？同じ人間なのに……。」

2. 自分を変える決意

希望とは、自分を変えようとする決意のことだ。今の自分を変える決意をしたとき、そのための今後の行動を思うとき、人は喜びを感じ、顔を上げる。それが希望だ。苦しい現状を打開できる可能性を信じたとき、自分にもできるかも知れない思うとき、人は行く道の先に光明を見る。

もし今の自分が本当の自分ではないと思うのであれば、本当だと思う自分に向かい、自分を実現するために、人は日々努めるべきだと思う。自分に不足や不満を感じているのに、変えようと思わない人に発展の機会は訪れないだろう。もし今、下を向いて日常を無為に過ごしているのなら、自分を変えて行くための努力を始めよう。

学問は希望につながっている。知の世界を広げることは、自分を変え、人生の可能性を広げることにつながっているのだから。若者には、《自分》を生み出すための試練を乗り越え、自己の実現に向かって進む人生を送ってほしいと思う。

3. 無常の風

〈無常の風〉という言葉がある。風が花を散らすように、人の命が散ることをいう。無常は何ものも一つにとどまることがないと教えるが、それは決して暗く悲しいものではなく、希望だと思う。しかも、それは二つの意味において希望である。一つには、どれほどの苦しみもやがては終わるという意味において。二つ目には、ささやかであっても自分が燃焼したことが転機となって新しい生命の過程が始まるという意味において。新しい生命において、今の自分はそのままの顔や姿では存在しないかも知れない。しかし、そんな小さなことにはかまわないことにしよう。

《第８章》

現代の大学に思う

《第1節》学生たちに思うこと

1. 心ここに在らず

大学に入ったのに学業を忘れて、カネを稼ぐことに夢中になる学生が少なからずいる。かなりの数の学生たちが、歩く時間も惜しんで、スマホを手に握り目を離さない。おそらく見ていない間も、目にはスマホの画面がちらついているのだろう。朝方までTVやゲームに心を奪われて時間を費やす。それでいて、「忙しくて本を読む暇がない」という。「勉強するほど暇じゃない」といっているのと同じだ。これでは、自分を見つめる時間などない。時間配分の優先順位を間違えていないだろうか。

ある調査によると、日本の大学生が一年間に読む本の数は、平均1.0冊に達しない。「10冊」の間違いではない。1冊未満である。悲惨な現実がそこに見える。30年近くの教員生活を通して得た著者の経験とも符合する。これは何も、特定の大学に限った話ではなく、日本の多くの大学に共通したものらしい。若者は本を読まない。

物事を考えることも見つめることも放棄した若者が、試練に満ちたこれからの人生をどうやって乗り越えて行くのだろう。本がすべてだというつもりはない。ただ、良書が人生に希少な意味と価値を与えることは確かである。それは、ときに「見えない世界」に行くための伴侶となり、ときに希望となるであろう。

以前、教室で「勉強は親のためにするのではなく、自分の未来のためにすること」と話したことがある。すると、一人の学生から「人間、勉強だけが大事なわけじゃあない」という反論が返って来た。これには驚いた。「勉強だけが大事」という人など世の中どこにもいない。私もそんなことをいったのではない。しかし、反論者は勉強しない言い訳として、自分を正当化するために、「勉強だけじゃない」と自身にいい聞かせるように発言したのだろう。テニス・スクールに入って、わざわざ「テニスばかりが大事じゃない」といってどうするのだろう。大学に入りながらそうしたことを口にするのは、卒業証書だけをもらえばそれでいい、ということだろうか。しかし、大卒の資格を得たばかりに、力量が全く見合わず、後々働くようになってから恥ずかしい思いをしないだろうか。

本を読まず、勉強しない学生を見ていると、授業料無償化が望ましい教育政策なのか疑問になってくる。高校を卒業し早々に納税者となった若者から見ると、納めた税金が同じ世代のろくに勉強もしない学生のために使われることに納得が行くはずがないと思うからである。少なくても、無償化の対象は成績などを審査して限定すべきだと思う。

なお付け加えると、学生の2～3割は熱心に学修している。とはいっても、不熱心な学生は7～8割に達するのだから、残念な気持ちに変わりはない。

2.「大事を思い立たん人」

『徒然草』に「大事を思い立たん人」の話が出て来る（五十九段）。ここで大事とは、俗世間を捨てて仏道修行に入ることだ（出家）。人生の大切な決断は、一たび思い立ったら迷うことなく断行せよと教えている。人は誰しも、身辺に捨て難く気がかりなことを抱えている。日常の中で、「まずはこれをやり終えて」「同じ事なら、あれも片づけて」と思ううちに時間だけが「光陰矢の如し」の譬えよろしく瞬く間に過ぎてしまう。

徒然草に書いてあることは、現代人にもそのまま当てはまると思う。読もうと思って買ったただ一冊の本を読むのにさえ、人はいろいろな言い訳を考え出して先延ばしにする。「明日の準備がある」「今日は疲れたから、読むのは来週にする」「TVでいい番組をやっている」「今は気分が乗らない」。一冊の本でも、読み終えるための障害物はいくらでもある。

知の獲得に精進しようと思えば、それは一つの決断である。決断というと大げさに感じる人がいるかも知れないが、何事であれ心を傾けて取り組むつもりにならないと物事は進まない。中途半端な気持ちで、「嫌なら途中でやめればいいや」という気持ちでは目標は成就しない。ゲームなど遊興の時間を減らし、外出も必要なものに限るようにしないと学修の時間を作ることはできない。「選択と集中」とはビジネスの現場で使われる言葉だが、時間を効果的に使うため人生にもそのまま当てはまる。

現代日本は、人の興味や関心を引き寄せる遊びや誘惑だけでなく、煩雑で些末なことにも溢れている。だから神経をそうした方面に振り向けると、時間を空費する材料はいくらでも見つかる。鎌倉時代と違い、現代に出家する人はないとしても、市井の人々にはそれぞれに決断すべき大事がある。その大事を妨げる些末事は、ひょっとして鎌倉時代よりもはるかに多いのではないか。現代人には、時間の消費に優先順位を付ける習慣が必要だと思う。優先事項を決める小さな決断を日常の中で積み重ねる。そうした習慣を通して、人はより肝要なことに時間を使うようになって行くと思う。

時間とは、自分の生命のことである。生命と聞けば、人は誰しも大事にする。時間も生命と同じように大切に扱いたいものだ。

3. 大事と小事

英語の格言にThere's many a slip betwixt the cup and the lip（唇とカップの僅かな間にもしくじりはいくらでもある）がある。小さな日常に多くの障害も失敗もあるという意味だ。何か大きなことをやり遂げようとしたら、その困難はさらに増すだろう。

武士道を説く教えには、「大事は軽く 小事は重く」がある。腹を切るような大きな決断はさらりと、日常の挨拶や礼儀こそ大切にせよ、という意味である。「非日常は軽く、日常は重くせよ」と教えているようにも聞こえる。人の生活は小事の連続、積み重ねである。人生の大本を考えさせる言葉だと思う。こうして、英国と武士道の格言には相通じるものがあるように感じる。

4. 若者に眠る金鉱

まだ開発されていない若者の能力の中には、豊かな鉱脈が眠っている。その鉱脈は、早く持主が気づいてくれることをひたすらに待っている。それなのに、鉱脈の開発に使うべき時間をスマホやゲーム、TV、バイトに費やし投げ捨ててしまう。何と愚かしく、もったいない選択であろうか。長時間のバイトで心身が疲労困憊すると、若者の鉱脈は徐々に枯渇して行くだろう。もちろん、生活のためにやむを得ず働く学生はいると思う。そうした学生は試練によって「艱難汝を玉にする」の格言通り、自分に打ち克つ努力をしてほしいと思う。しかし、自堕落に陥り自分を見失った若者の場合、大きく心を入れ換えない限り、鉱脈を発見する機会は終に得られないのではないか。

若者の中には、「分かってはいるが自分を変えられない」という人もあるだろう。「どうしたら変えられますか」と聞かれたことがある。一日6時間スマホに夢中になっている学生であった。「スマホは自分でもいいとは思っていないが、やめられない」という。私の提案は「スマホを捨てる」であった。これには反対意見もあると思う。「今どきの若者にそんなこといったって」。しかし、麻薬・覚醒剤の類であれば、「やめられないのは仕方ない」という人はいない。依存症となる点で、覚せい剤とスマホは似ている。行動を本気で変えたいのなら、いい加減な心構えでは足りない。プロ野球の投手で一念発起、スマホを捨てた人がいた。捨てて気がついたのは、日常の中でやることがはっきり変わったという。家族と話すようになり、本を読み、有意義な時間が増えたという。シーズンの終わりには、成績の不振から抜け出し、所属チームはリーグ優勝を果たした。

ある学生は、親から送られる20万円を毎月遊興費に使い切って、どうしてもやめられないといった。この学生には「仕送りを半分に減らす」ように勧めた。生活を引き締め学業に復帰することを期待した。いま「復帰」と書いたが、学生の多くは、真剣に何かに取り組んだ経験がない。だから、「復帰」ではなく、「未知への参入」である。読書も自分の頭で物事を考えることも経験がない。頭の鍛錬のために課題などを与えるが、ネットからマル写しする学生が後を絶たない。

5. 生活習慣

規則正しい生活習慣と学業の取り組みはよく似ていると著者は思ってい

る。朝きちんと起きて電車に乗り、授業を受ける。眠い時もあるが、面倒でもノートを取って授業を受ける。試験はノートやテキストを読んで臨む。そうした基本動作を守る学生は成績もいい。ところが、いつも昼近くまで寝る、食事は抜く、午前の授業には出ない、課題は人の書いたものを写す、試験は一夜漬け、という学生が多数いる。これだといい成績は取れない。生活習慣は学生生活の下支えになっている。二つが同じものだというのはそうした意味だ。悪習慣の原因は、前日から始まっている。朝4時までTVやゲームに夢中になっていれば、翌日の生活は初めからつまずいている。それに早く気づいてほしいと思う。

やがて就職し人は親となる。若いうちにしっかりとした足取りで進むためには、やがて訪れる未来と家族に想像をめぐらすことも大切だと思う。そうした想像が欠落し、未来が見えないために無力感に襲われるのではないだろうか。仏教は、智慧ある人となるために三学が大切であると教えている。三学とは、戒学（かいがく）・定学（じょうがく）・慧学（えがく）のことだが、これは生活の規範を守り、心を修練することによって、やがて真理を見る智慧を養うための過程、学びを指している。最初に、生活の規範を守ることの大切さが説かれている。

さらに、仏教では因果道が説かれ、因は煩悩に満ちた日常、果は煩悩の消えた状態（涅槃）、道は因から果に至る過程であるという。ここでも、最初に待ち受けるのは日常の苦しみ、懊悩である。人は日々の暮らしの中で、苦しみの関門に出会う。そこを突き抜けるのでなければ平穏の境地は訪れない。しかし、苦しみの関門を抜け出ることが、実は人生の最大の困難であるのかも知れない。若者は、経験も未熟な中でそうした苦しみに遭う。辛抱強く、静かに耐え忍ぶ他はない。

《第2節》教育を考える

1．教育の可能性と限界

フランスには「鉄を叩いてこそ良い鍛冶屋になれる（C'est en forgeant qu'on devient forgeront.）」という言葉がある。仕事は現場で教え、覚えるのが一番だという意味だ。学校は万能ではない。なぜなら、学校は社会からも現場からも離れているからである。学校ができることには限界がある。

自然界に目をやると、多くの生き物は日々、生命を営む作業に追われて忙しい。アリやクモ、そして人の身近で生きる犬たちも、学校で教育を受けたものなど、どこにもいない。「メダカの学校」というけれど、先生と生徒に分かれて勉強しているわけではない。それにもかかわらず、アリは、設計図もないのに頑丈で精密な共同住宅を建築し、クモは強くしなやかな網を毎日木の枝の間に張り換える。人間界であれば、アリもクモも建築工学の博士号を授与されていいほどだ。また、犬は誰から教えられたわけでもないのに、愛くるしい振舞いと仕草によって、一緒に散歩する飼主の心を捉えて離さない。人の世にあるような学校には行かなかった生き物たちが、自然界の厳しい掟を忠実に守り、それによってしなやかで強かな生命力を発揮して地上で生き続ける。植物界に目をやると、譬えようのないほどに美しく目も彩な花や草木が数知れず地上に溢れている。あの美しさはどうやって受け継がれるのであろう。植物界の先生と生徒は、人知れずどこで授業をやっているのだろうか。

林檎の木は春のごく短い間、可憐な白い花を咲かせる

2. 学校は何のために

フランスの格言や動植物の生態を考えると、人の世の学校とは何だろうと立ち止まって考えてみたくなる。学校制度とは何だろう。ことに高等教育機関、現代の大学にはどんな役割と限界があるのだろうか。

おそらく、こうした問題意識は近年、日本社会で広く共有されつつあるように感じる。その背景には、社会の急激な変化と大学の硬直化があると思う。変化し高まりつつある社会の要求と大学の対応力のミス・マッチである。大学の硬直化の是正をめぐっては、現在、二つの考え方が対立しているのではないだろうか。一つは、現場や即戦力を意識し、それに沿った教育を優先する方向と、いま一つは教養主義を貫こうとする方向である。

これについては、本章第6節の教養主義と現場主義で詳しく述べるが、ここでは要点だけを示しておく。現場を優先する考え方に対しては、近年大学人からも賛同の声が多く上がっている。実際にそうした手法を採り入れようと動いている大学も少なくない。しかし、それが大学教育として望ましいのか、著者は疑問を感じる。陸上のトラック競技に譬えると、大卒は高卒で就業する人に比べ４周遅れでスタートする。そんな状態で後追いするのに、先を行く走者と同じ走法をして大丈夫だろうか。

大学は、現場主義とは異なる付加価値を提供する役割を社会から負託されているのではないか。現場ではできない、大学でなければできない創造的な役割があるのではないか。卒業して社会に出れば誰しも実用主義の中で働き生きることを要求される。与えられた4年間は、社会に出た後には獲得が難しい付加価値と創造性さらには教養を学修するための機会とすべきではないか。大学時代に静かな環境で聴き、読み、そして書く。知を刺激する豊かな世界に触れ、教養に導かれた新たな物の見方や考え方を獲得する。人と社会を見つめ、自身を省察する。やがて若者は世に出て活躍し、社会的地位が上がって難しい判断を迫られる時、学修から得た知は必ず役に立つ。そのための大学教育である。大学教育は決して現場を否定していない。少し後ろに下がって距離を取るのは確かだが、それは現場をよく見抜くためである。

こうした考え方を裏付けるように、企業経営者の中には「現場は我々が教える。大学は本来の教育を頑固にやってもらいたい。」という考え方の人もある。優れた経営者ほど、企業の現場とは別の世界を見ている方々が多いような気がする。視野が広いといってもよい。松下電器の創業者・松下幸之助氏は仏教の教えに親しんでおられた。氏の著書は、含蓄豊かな言葉が随所に見える。また、京セラを作った稲盛和夫氏も企業で人を指導する立場にありながら、その現場を越えて物事の奥にあるものを見つめた人だと思う。著書から分かるように、お二人とも天と人を考え続けた経営者であった。

職業教育と教養教育をめぐる対立は古くからある論争点だが、役に立つ教育、現場主義を支持する声が大きく上がる今こそ、大学教育さらにはそこで学修する意味を問う必要があると思う。

3. 明治期の日本

かつて明治期農村部では、「百姓に学問はいらない」と子どもを学校に通わせるのを拒否した親たちの話が残っている。親たちは日々食べることに追われ、子供を学校にやれば田畑の労働力を奪われると思ったのだろう。

その一方、幕末の長岡藩には、藩の未来を担う若者を教育しようとの運動が起こった。「コメ百俵事件」として知られる。北越戊辰戦争に敗れ焼野原となった長岡藩に隣藩から見舞いのコメ百俵が届く。その日の飯にも困っていた藩士たちは、当然その米が配給されるものと期待したが、藩の大参事・小林虎三郎は届いたコメを元手に学校を創る計画を立てる。藩士の間から激しい反対が起こり、小林の妻は藩士に切り殺されるという悲劇に遭うが、小林は「配給すれば一人一膳の飯にしかならない。百俵のコメを売りその代金を学校作りに回せば若者を育て藩の未来を創ることができる」といって志を曲げなかった。やがて「国漢学校」が設立され、そこで漢学・歴史・国学・洋学・地理・物理・医学が教えられた。小林は、「教養によって人材を育てる」という考え方を国漢学校によって実現しようとしたのである(注1)。その志は後に設立された学校に受け継がれ、長岡からは数多くの人材が輩出する(注2)。

学校教育を掲げながら、実際には目先の「役に立つ」ことを強調するのであれば、それは形を変えた現代版の現場主義である。教養教育を放棄し、技能・スキルを大学の中心に据えるなら、それは結局のところ、学校不要論、大学の自己否定につながって行く。その理由は明快で、大学の教員が現場教育を実践する企業人に敵うはずはないからである。これを裏付けるように、現場教育を掲げる大学の講座では多くの場合、企業から人を呼び寄せて学生の指導に当たらせている。現場主義といいながら、大学の教員に現場の指導はできない。

大学は教養教育を行ってはじめて、現場を指導する企業に優位性を主張できる。しかも、優位に立てるのは教養教育を実施する限りにおいてである。

《第3節》大学の経営

大学と企業は、社会的機能を担って設立される組織・団体である点でよく似ているように見える。両者は違いもあるが、社会組織としての基本は同じものと考えていいのだろうか。大学といえども生き残りを賭けて（教育）市場で競争をしなければならない点を挙げて企業と同じだと主張する人たちがいる。そう断言する大学関係者が最近、とみに多くなったように感じる。少子化に伴って大学間の競争が激化したことが背景にある。さらにはまた、企業から大学に移籍し、実務家教員の立場から教鞭を取る人たちが急速に増えたことも背景にあるかも知れない。

しかし、私見だと大学は企業と同じではない。類似より相違の要素が大きい。同じだという人たちは、大学の役割を勘違いしているのではないかと思う。著者は、激しい競争の中で大学は生き残る必要がないと主張しているのではない。その逆である。本物になることが生き残りに不可欠だと考えている。大学と企業を同じだと考える人々は、以下のとおり別な二つの事柄を混同し、大学と社会との基本関係を見誤っているのではないかと思う。

まず大学は、営利を目的とする企業と違い納税していない。企業は厳しい競争に曝されながら、稼ぎ出した利益について法人税、消費税、法人事業税、法人住民税などを支払う。納税を通じて社会貢献を果たしている。これに対し、大学は公益法人である。税の支払による社会貢献は免除されている。もし大学が企業と同じだと主張し、同じ土俵で競争を繰り広げようとするなら、まるで国や東京都が一般の事業会社に勝負を挑みかかるようなものだ。一方が税金を払わず優遇されたまま、「立場は同じだ」と対等を要求するなら、それは甚だしい勘違いで厚かましいというべきだろう。それだけではない。大学は税金を払うどころか、逆に巨額の助成金を国や東京都などの自治体から受け取っている。企業、一般人が納付した税金が大学に還流している。国が大学教育のために資金を供与するのには明確な理由がある。――「税金は払わなくてもいい、逆にこちらから金を払う。それを活かして、質の良い教育をやってほしい、若者を育ててほしい。」その一念である。

これは、未来に向けた社会の切実な願い、投資である。大学は、そうした負託を社会と国民から受けている。それでもなお、「大学だって企業と同じだ」と主張するなら、社会の負託と期待、一途な願いを踏みにじるものだと思う。

英語に“level playing field”という言葉がある。これは、経済や社会の問題についてよく使われるが、公正な競争を確保するためには競争条件を対等にしなければならないという考え方だ。一方だけが優遇されるのは不公正だと考える。もし大学が税金を払わず、助成金を受け取り、なおかつ金儲けの企業行動に走るなら、それはこの”level playing field”という理想にも反する。知の世界で社会貢献すべき大学が、文明社会の知的所産を踏みにじりなお恥じないのであれば、それは強く指弾されなければならないと思う。

《第4節》日本の大学——他流試合を避ける傾向

1. 硬直化と既得権の発生

日本のある国立大学の法学部は、出身者だけを助手として採用し、さらにその助手の中から助教授、教授を採用する。その慣例は大学の設置以来今日まで続いている。優に百年を超えている。外部者に向けて公開試験を実施する大学院はあるのだが、そこを修了して教授になった例はきわめて稀である。

こうした事情と裏腹をなすように、この法学部は博士号の授与に全く関心がない。外国の有力な大学に比較すると、博士号の授与件数は際立って少ない。教授たちは助手から昇進し、博士論文を書いていないので、博士号取得者は少数の例外しかいない。そうした事情も博士号に無関心な一つの理由であろう。外国人は留学先を選ぶ場合、博士号をどれだけ出すかを基準にするので、この大学の大学院の場合、優秀な留学生は応募して来ない。中国人などアジア系であれば、当然のように米国及び欧州の大学を選択する。グローバル化の時代、内外の競争に勝てなければ、大学は成長どころか存続が危うくなる。企業の年功序列にはすでに変化が現れているが、日本の大学の場合、国立系を中心に旧態依然のままである。しかし、どう考えても世界の学界で認知された称号は博士号であって、助手ではない。この大学の助手制度は、日本の大学の姿を象徴する一つの例であり、まるで大海に孤立して浮かぶ島のようである。

法学部の例を上に挙げたが、この大学は理系学部などにも他流試合を避ける傾向があるという。事実、この大学は日本で最大級の国家予算を呑み込みながら、東日本大震災からの復興、新型コロナとの闘い、航空機製造、AIなどの技術開発において国家的、国民的な貢献を果たしたという話は最近ついぞ聞くことがない。ノーベル賞の受賞者も近年出ていない。硬直化と既得権。この大学の場合、現状に安住し居心地の良さを感じる人達が多数派を占めているのである。

他流試合から逃げ続ける限り、日本の大学は経営も教育も枯れていくであろう。すでにその兆候は見えている。英国の機関が行った世界大学ランキングを見ると、2022年時点で日本の大学は最高で39位である。過去には10位以内もあったが、年々ランキングを下げ続け、今年100位以内に入ったのは2つだけである。評価の基準は教育環境、論文の引用件数である。このまま他流試合から逃げ続け、離れ孤島のような大学運営が続けばランキングはさらに確実に下がっていくだろう。

2. 採用人事

次に日本の大学の採用人事だが、卒業生が出身大学の教員として働いている例が非常に多い。ほとんど全ての教職員が出身者という例はいくらでもある。しかし、これでは、競争力のある人材が集まる大学とはならないだろう。こんなことを続けていたら、今は名門でもやがてはその座を他に譲らなければならなくなるだろう。出身者を優先するのは教員に愛校精神を期待し、卒業生ならばそれが期待できるということかも知れない。それとも経営支配の号令に従わず既得権破りをする者が出現するリスクを最小化するためであろうか。どちらにせよ、こうした人事制度は、それ自体が既得権の維持、他流試合の回避に他ならない。

研究者は愛「校」も大事だが、何より愛「知」でなければならないと思う。知には国籍、男女別、学校別も関係がない。よく知られているように、哲学（philosophy）とは愛（philos）と知（sophia）から成る。研究者に第一に求められるのは、普遍的な知に向かって進む探求心である。普遍性とは、狭い地域、組織でしか通用しない知ではなく、そこを抜け出し世界に通用する知の探求に関わっている。知への思いが小さな村や組織の中に閉じ籠っていては、知の普遍性に反する。

経済の世界を中心にあらゆる領域でグローバル化が進みつつある。学界もまたその例外ではない。そうした中で、他流試合を避け続けるのは、よほど自信がないか、プライドが高すぎて外部の意見に耳を閉ざしているか、そのどちらかであろう。そのどちらだとしても、現状を放置するならば、遠からず人材の獲得面で敗戦を迎える。青は藍より出でて藍より青し。知は自ら超克されることを求める。現在大学で行われている知が、やがて枯れて行く知か、それとも豊かな生命力を湛えた知か。その違いは歳月の流れの中で、必ず実証される。

3. 学者の良心

生活のためにどこかの組織に所属する人間は、どんな組織であれ、一旦事が起こると、組織防衛に走る傾向が強い。企業人であっても公務員であっても、医師会、政党、宗教団体であっても、この点はみなよく類似する。中央官庁の場合、職員の行動はしばしば「局あって省なし」などといわれる。「組織内組織」の防御のために、省内の別な組織に対してまで戦闘態勢を取る。そこにいろいろな事情があるにせよ、木を見て森を見ない理由はただ一つ、利害が絡むからである。それは最終的に自分の経済的利害に逢着する。誇りとか筋を通す以前の問題である。

組織人たちは、組織を正当化するための論理を工夫し、組み立てる。その論理の向かうところ、社会や公共性が消えてしまうことがよくある。批判を受けるので体裁は取り繕うが、実際には単なる「組織内論理」「組織防衛の論理」を発信しているにすぎないことがよくある。経済界、政界また官界も、激しい綱引き、衝突を繰り返し、社会はその動揺の狭間でもまれ続ける。

学者の良心という言葉がある。有識者という言葉もある。こうした言葉は、せめぎ合いを続ける社会の中で、そこから離れた、組織の代弁者でない人が存在する必要を教えた言葉である。「超然」は悪い意味で使われることもあるが、激しい対立や衝突が続く中で、大切な役割を果たすこともある。社会公共のための「超然」である。

学界全体、大学内にときに激しい争いがあるのは事実である。アカデミック・ポリティックスという言葉まである。しかし、学者が地上のあからさまな利害関係から離れ、別な世界に目を向けた人々が「比較的」多数いることも事実である。政府機関などが学者に意見具申を求めることが多いのも（ときに隠れ蓑（みの）として利用されることがあるのは事実だが）それが理由であろう。社会から負託された、こうした役割を担う以上、学者は組織内論理だけを振り回してはならない。学者に組織を飛び越えた「知に対する愛」が欠かせないのは、そうした点にも理由がある。

《第5節》問いを促す教育へ

日本は、輸入学問によって精神文化を築いて来た長い歴史を持つ。それは単に、輸入学問を触媒とし、それによって文化学問を発展させたというレベルの話ではない。文字文化自体が外国から採取したものである。特に、哲学、思想については、独自、固有に作り上げたものはほとんどない。明治以降、京都で誕生した西田哲学は西洋哲学に対峙し得る、独自固有の哲学であると評価されることがあったが、その哲学はインド古代のウパニシャッド哲学と中国で発展した禅宗の影響が色濃く投影した哲学である。

その一方、日本人は輸入学問と真剣に向き合って来た歴史があるので、外国の文物を習得する能力は高いようだ。奈良期平安期から江戸末期に至るまでは中国、明治期以降は欧米、ことに戦後は米国の圧倒的な影響下に入った。強大国は太陽のように頭上に輝いて君臨し、そこから降り注ぐ眩しい光りを受けながら、日本人は営々と「まねぶ」「まねる」ことを最優先に彼らの精神文化を摂取し続けたのである。

しかし、学問は「学び問う」と書く。「学ぶ」だけでは足りない。「問い」が欠かせないはずである。ところが、日本は今も、他国において優勢な思想を「まねる」という根本の姿勢が何も変わっていないように見える。これだと、学問といいながら実は宗教に向き合っているようなものである。学問が、神棚に祀り上げられ、有り難い教えになってしまうと、疑う、批判するという学問の基本動作の居場所がなくなってしまう。

大学の学修においては、「まねぶ」「まねる」だけではなく、疑問に感じたことを自分で考え調べる姿勢が大切だと思う。丸呑みするのではなく、自分で答えにたどり着くために努力をする。そうした姿勢があれば、学び知ることは楽しくなり、読む本の内容もよく頭に入って行くようになるのではないだろうか。

《第6節》教養主義と現場主義

学生の中には、在学中就職に向けて「役に立つ」ことを勉強したいと思っている人が多い。特に、入学したばかりの若者にそうした傾向が強いように感じる。就活で勝ち残るために、役に立つ知識、資格を身に付けたいと思うのはよく分かる。とりあえず役立つ知識として挙げることができるのは、読み書き（漢字検定など）、パソコン（情報技能士など）、英語（英会話、各種検定など）それに各種の技能資格であろう。

しかし、すぐ目に見える効果のあるものだけが役に立つ知識であろうか。大学で学ぶ第一の目的は技能の習得であろうか。すぐ役に立つ知識は、すぐ役に立たなくなるという人いる。この点はどう考えたらいいだろう。

1. 現場主義

仕事ですぐに役立つことを習得したいと思うなら、大学よりも専門学校の方がいいのではないか。例えば、パソコン技術の知識。専門学校は、就職後企業で使える実践的な技術を教えてくれるだろう。あまり使わない技術や、実務とは関係のなさそうな理論に時間をかけるよりも、最小限の実践的な技術を専門学校で学ぶ方が早道ではないか。パソコンの資格を取るためにも、その方が好都合ではないか。

短期決戦で役立つことを習得するなら、専門学校よりもさらに効率がいいと思うのは、高校を卒業してすぐ就職することである。会社には教育担当の先輩がいて、そこで使うパソコンの技術も毎日厳しく叩き込む。覚えが悪いと怒鳴られる。怖いので新参者たちはすぐに会社のパソコンに慣れるだろう。パソコンだけではない。業界や商品の知識、専門用語、営業のやり方、顧客対応などについても教育される。道場に譬えると、大学は木刀で鍛えるが企業の現場は「真剣」を使うようなものだ。実践的なので、教え方には無駄も遠回りもなく、新入社員の教育用に効率的に出来上がっている。

フランスの格言にある「良い鍛冶屋を育てるには鍛冶をやらせるのが一番だ」という言葉についてはすでに書いたが、これは「習うよりも慣れろ」という意味だ。余計な理屈より、「見よう・見まね」で体に叩き込むのが一番効果的だということを教えている。徹底した「現場主義」である。そうであるなら、ますます大学よりは専門、さらに専門よりは高卒で現場に行くというやり方が優れていることにならないだろうか。

2. 技能と教養

手先の訓練などにより習得する特殊能力を技能（skill）という。主に工芸技術などの職人芸が技能とされるが、情報や電気通信・英会話の能力などもこれに入る。技能に対し、知性や人間性に関わる能力は教養と呼ばれる。技能は特定の事柄、範囲に関する能力だが、教養は特定の範囲には留まらず、広く人の精神的、知的な活動に関係する。したがって、教養は一般性と汎用性を特徴とするといってよい。

他方、技能は例えばパソコンの能力のように、習得したら何に役に立つかがはっきりしている。しかし、教養は具体的に何の役に立つのかと問われれば、答えは必ずしも判然としない。例えば、ここに歴史について知識と洞察のある人がいたとする。その人が「現代の日本人は戦前と基本的な精神構造に変化がない」「未来社会に向かう現代の歴史的位相が見える」といったとする。それを聞いた人は、主張の正しさや日々の暮らしにどんな影響があるかを確認することができない。語る人の話を聴いてその意味や価値を理解するには、聴く人にもそれだけの能力がなければならない。教養を理解するためには、聴く人自身にそれだけの見識や能力が必要だ。

教養は、特定の技能とは違い、人の精神や知の活動に幅広く関わっている。そのため、物事の見方や考え方において、その方向や深さに確実に影響を及ぼすだろう。歴史学、生物学、物理学、数学、哲学、社会学などはそうした教養の内実であり、学修することによって人間存在や社会、さらに自然界に対する目を養ってくれるだろう。それは、周辺世界に対する認識を高める力であるといってもよい。教養は、単に具体的で断片的な知識を人に与えるのではない。その背後に隠れ、目には見えない世界の存在を教えてくれる。個別の知識を結合し、総合化し体系化して見せる力といってもよい。

教養は脳髄に浸透し、人の精神世界を涵養してくれる。しかし、それに本物の磨きをかけるには長い時間がかかる。年数を要することに打ち込む場合、人は疑問と焦りを覚える。しかし、教養は裏切らない。真剣に取り組めば、確かに人の精神に浸透し、やがて物事の見方や考え方に影響を与えて行く。人は、精神の中に小宇宙を出現させることができる。

すでに書いたことだが、英語で教養を意味するcultureには「洗練」「文化」「栽培」という意味もある。さらに、cultureの語源となったラテン語には「耕作」「手入れ」という意味もある。教養が何者であるかを示唆していると思う。

3. 実用と基礎研究

日本の大学はもっと基礎研究を大事にすべきだという話をよく聞く。その一方、研究は税金を使ってやるのだから、成果や社会貢献が目に見えるように実用研究を大事にすべきだという意見もある。この二つは対立しているように見えるが、基礎研究が非実用的だという主張には誤解があると思う。2021年度のノーベル物理学賞を受賞した真鍋淑郎氏は、受賞直後に「最初何の役に立つのだろうと思えることが、後になって役に立つことが分かる」と話している。

基礎研究がもたらす原理上の発見は、技術や成果が多方面に向かって開花して行く潜在力を秘めている。今まで頓挫し、停滞していた原因が、思いがけない発見によって一気に打開されることもある。大きな闇であればあるほど、多方面の技術革新へとつながって行く可能性がある。実際に、基礎研究を進めるうちに発見できた成果について、「偶然の産物」「失敗から学んだ成果」という話はよく聞く。基礎研究は原理の追求であるから、困難も大きい一方、それだけ数多くの現象や発見に関係を持つ。

難問の解明や突破口のことをbreakthroughというが、基礎研究はbreakthroughの可能性を秘めている。

4. 大学は教養教育のために

(1) UNIVERSITY＝一般性・普遍性の追求

大学は英語でUNIVERSITYだが、その語源、原義を辿ると、UNIVERSALと繋がっていることが分かる。UNIVERSALとは「一般的・普遍的な」という意味を持つ。「一般的・普遍的な」は「一般に広く行われる」「例外なくあてはまり有効だ」という意味に近い。譬えていうと、自分の住む小さな村や地域、所属する小さな組織・職業団体でしか通用しないようなものではなく、そうした狭い空間を超え、突き抜けて世界に通用する、又は当てはまるという意味を表わしている。例えば、もし誰かが「女性は大学に入っても意味がない」「貧乏人に選挙権を与える必要はない」といったとすれば、それは現代世界では通用しない。今も世界のどこかでそうした考えを持っている人はいるだろうが、現代世界ではそれが一般的・普遍的に承認されていない。人類の歴史の中で形成された一般的・普遍的な文明の価値に反するからである。文明とは、一般的・普遍的な精神的価値を意味する。

先日ラジオを聴いていたら、武士道の研究者だというニュージーランド人が話していた。現在は関西の大学で教えているこの先生は、「武士道は日本だけのものではなく、人類全体にとり普遍的な価値があります。たまたま日本で生まれたというだけです。」と語っていた。この研究者は、十段を超える剣道の達人でもあり、武道の実践を通してその考えに到達したという。普遍という言葉の意味を分かりやすく教えてくれる話である。

(2) 知の内容と手段

UNIVERSALなものを教えるために存在するのが、UNIVERSITYである。そうした大学の役割からみると、若者が大学に籍を置きながらすぐに役に立つ知識、技能だけを学ぼうとするのは自分が立つ場所を勘違いしているといえないだろうか。

しかし、学生にこのような話をしても、「私はやはりすぐ役に立つことを勉強したい」という学生は少なくない。こうした学生に対して著者は、「例えば英会話が自由になったら、それで何を話しますか」と聞くようにしている。英会話は手段だから、話す内容は別物である。英会話の勉強と一緒に内容を学修する必要がある。英会話の訓練だけをやっても、それですぐに日本の歴史や文化、政治や経済、企業経営について話せるようになるわけではない。例えば、外国人から「歌舞伎や能がどんなものか教えてほしい」「日本の若者は広島の原爆投下をどう考えているか」「日本の軍事力はどのような水準か」と聞かれた時に、どう反応するのだろう。英会話の能力とは別なものであることがよく分かると思う。この点が了解できれば、大学で学修すべきことにきっと気がつくはずだ。質問する外国人を納得させるのは、英語のうまさよりも、話の内容であることが分かると思う。

技能はhowであり、教養はwhatに関係する。英会話はhowなので、howを身に付ければ自動的にwhatが深まると思うのは誤りである。聞く人が納得する話をするには、howだけでは足りない。それだけの知識や内容を頭に蓄えなければならない。

かつて、ソニーの創業者・盛田昭夫氏が英語で行った講演を聴いたことがある。1980年代の日米の通商摩擦に関する講演であった。それはいわゆる流ちょうな英語とは違っていた。むしろごつごつと単語を区切って話す場面が多かった。しかし、話の内容は米国の友人たちと重ねた議論や実体験に裏打ちされた、説得力のある、見事なものであった。英語がうまいかどうか以前に、盛田氏の頭の中に豊かな才覚、知識、体験が詰まっていることを聴く人誰しもが感じることができた。盛田氏が国際的にも優れた経営者として評価されたのは、英語がうまいからではなく、こうした優れた精神の持ち主であったからである。whatとhowの関係をよく教えてくれる話だと思う。

かつて著者は日米学生会議というものに参加したことがある。この会議は、もともとは大正時代、日米関係の雲行きが怪しくなった時期に、日本の若き大学生たちによって設立され今日まで続く古い団体である。参加した折にこんな体験をした。流ちょうな英語を話す女性が日本側から参加したのだが、そこに座っていても討論にはいつも加わらない。ある時、誰かが意見を述べるように促すと、当人は「自分に意見はない」といい切ったのである。意見を交換するための学生会議なのだが、最終日までついに彼女が発言することはなかった。これもまたwhatとhowの違いを考えさせる話だと思う。

5. 現場主義を超えて

(1) 現場と大学

大学で学ぶ若者は、陸上のトラック競技に譬えると、高卒で先に走り出した人に比べ4周遅れで追い駆ける。それだけ遅れているのに、先発の人と同じ「現場重視」の流儀で能力の鍛錬をやってそれで追い付くのだろうか。先に出発した人は、現場の知識と経験においてすでに優位にある。遅れて駆け出す人は、先行者にはない優位性を活かして競技に参加すべきではないか。そうでなければ、ハンディを克服できないだろう。

現場主義の支持者たちは、伝統的な大学の教育法を座学と呼び、その限界を指摘する。しかし、何事もそうであるように、現場主義にも限界はある。現場が優先だというのであれば、そもそも大学に入る必要などない。就職し、そこで研修を受けるのが効果的ではないだろうか。

(2) 現場主義と教員

研究の道を走り続けて来た大学の教員に、現場主義に立った教育をやれといっても、それは無理である。大学人の多くは、企業の現場に流れる独特の空気感に触れた試しがない。営業の手法、ノーハウなどはとても人に教えられない。よく人心掌握といって、「商品を売るより前に自分を売れ」という。その極意は、現場でなければ分からない。また、優れた営業マンほど口数が少ないという。言葉と表情の効果を最大限発揮するのだろう。商品を売り込むコツ、顧客の心をつかむ笑顔、商品知識、トラブル処理などは全て現場で働く先輩たちでなければ教えることはできない。ノーハウのない人にトラブル処理をやらせれば火に油を注いで面倒を拡大させるのがオチであろう。また専門性や理論に多少関係があるように見える領域、例えば市場動向や広告、マーケティングなども、業界毎また企業毎に流儀や方法は随分と違っている。

たとえ過去に実務を経験した教員であっても、数年のうちに実務の世界はすっかり変化してしまう。グローバル化とスピードの時代である。過去の知識と経験は瞬く間に陳腐化し、使いものにならなくなる。著者自身が、かつて20年間金融界にいたが、大学に来てわずか数年で、それまでの経験が陳腐化した現実に直面した。

教えられないことを無理に教えようとしても始まらない。実務の知識を無理に仕込んでも、それは学生にとってまさしく「役に立たない」知識となるであろう。後に残るのは、学生を「実務的感覚に触れさせた」という言い訳だけである。しばらくは役に立つように見えても、知識はすぐに枯れメッキは剥げてしまう。

米国人の大学関係者から、最近こんな話を聞いた。自分の国で今度新しい大学が設立されたが、その大学では試験をやらない方針だという。著者の注意は、試験をやらないことではなく、やらないことを決めたその理由に向かった。その人はこう話したのである――「実社会で試験はありますか？実社会でやらないようなことを、大学でやっても意味はないでしょう。」

これを聞いて、著者は愕然とし少なからず疑問と異議を感じた。実社会でやっていないことでも、いやむしろ実社会でやっていないからこそ、今のうちに大学でやっておくべきことがあるのではないか。大学教育の中身を決めるのに、実社会を基準にするのなら、一般企業の営業や事務職に就く人たちは数学の微分・積分、天文学さらには歴史学や哲学、芸術系などの学問を修める必要はないことになってしまう。米国で始まったという、この新しい大学の教育は、形を変えた現場主義ではないのだろうか。

なお追加すれば、試験は日本の実社会でよく行われている。公務員などの昇進試験、銀行・保険・信託・証券・不動産などの業界では専門知識や資格の取得のために試験を受けさせることが多い。米国でも事情は似ていると聞いた。

以前、やはりラジオで教育関係者がこんなことを語るのを聞いたことがある。日本の高校生は大学を名前で選ぶが、米国の場合、専門領域又は先生の名前で選ぶのだという。それを語る人は、米国のように「将来やりたいこと、卒業してから就く仕事に合わせて、大学の専門を選ぶのは当然のことだ」と自信満々に語っていた。これもまた現場主義の考え方である。金融に行くなら経済やIT、公務員なら法律学や行政学を選ぶのが当然という考えのようだが、どうして歴史学や古典文学、社会学を学んだ人ではいけないのだろう。実務はいずれ慣れる。金太郎飴のような知識しかない職員の集まった職場でいいのだろうか。人が思い付かないようなユニークなアイデアはそうした職員の集団から生まれるのだろうか。学修と現場は近いほどいいという発想に疑問を感じる。さらに、有名な先生を基準に選ぶという点だが、米国はビジネスや法律を学ぶ場合、かなりの年齢に達している人が多い。通常は、学部をすでに卒業し企業の勤務等を経た後、ビジネス・スクール、ロー・スクールに進むからだ。学費も非常に高いので(年間500万円前後)、そういう人たちは、どんな先生がいるかを一つの基準としてスクールを選択する。そうした、だいぶ経験を積んだ人たちと日本の高校生を一緒にするのは少々無理がある。実際には米国でも、学部を受験する場合、高校生にそこまでの知識はないので、日本と同じような基準で大学を選ぶことが多い。

《第7節》歴史と文化の狭間(I)

大学もそうだが、人工的に作り上げた制度は何であれ、歴史と文化の狭間(はざま)に置かれている。日本の大学の姿を理解するために、もう少し大きな視点から考察してみたい。

1. コスモポリタニズム(世界主義)

現代の国際関係において、米国と中国は政治軍事の両面で厳しく対立する。しかし、それは両国ともに、歴史的にコスモポリタニズムを追求して来た政治勢力であることと無関係ではないと思う。コスモポリタニズムとは、国家や民族を超えて同胞として扱う考え方で、世界主義、四海同胞主義とも訳される。この考え方は、領土拡張主義と簡単に結びつくので、周辺国から見れば脅威であり、当然に警戒されてきた。

コスモポリタニズムの観点から考察すると、米中と日本は事情が全く違うことが分かる。そうした違いが、日本の大学のあり方、運営にも深い影を落としているように感じる。

2. コスモポリタニズムと大学

米国には、教員の採用人事で卒業生は採らないという方針を守り続ける名門大学がいくつもある。ハーバード大学は、そうした大学の一つとしても有名だ。学生は卒業したら、優秀であっても、外に出す。これは、日本の武道でいう他流試合を経験させることを意味する。他大学にいる間に優れた業績を残した場合は呼び戻すことがあるようだが、卒業生であるかどうかではなく、業績を残したかどうかを採用基準とする。いかにも米国らしいやり方だと思う。「青は藍より出でて藍より青し」。米国のやり方は、中国の故事を地で行っている。米国の大学が世界の学問研究をリードし、その水準を維持する背景にはそうした事情もあるのかも知れない。

そういえば、現代中国では、共産党幹部が子弟を米国の大学に留学させるという話をよく聞く。もちろん、これは米国の大学に行って箔(はく)を付けるとか、将来に向けて人脈作りをさせるなど、実利的な理由はあると思うが、両国の歴史的共通点から考察するのも面白い。

これは私見だが、名目よりも実力を尊重するという米国の流儀は、かつて中国が採用していた流儀だったのではないか。他流試合。中国は清朝末期、国の近代化に失敗したが、長い中国史を回顧すると、学問と芸術が大いに隆盛した国である。学問でいえば、宋代、明代を中心に哲学、天文学、歴史学、医学など、世界的な業績が残っている。日本は、そうした中国から周辺国の中でも最も強い影響を受けた国といっていい。現代中国は面子(めんつ)

を重んじる国として名高いが、歴史上面子にこだわるだけであったとしたら、優れた学問も芸術も生み出せなかったはずだ。面子や権威だけで周辺諸国の人心を支配し、政治軍事的に服従させることはできないからだ。中国精神の源流には、世界主義＝コスモポタリズムが垣間見える。こうして、中国の流儀には歴史的に米国と共鳴し合うものがあるというのが著者の意見である。

一つ付け加えれば、中国共産党の幹部は子弟を米国には送ってもロシアには送らない。ロシアはその長い歴史において、周辺国を武力によって威嚇、征服した点で一貫し、世界最大の領土を手に入れたが、コスモポリタニズムからは遠い国である。むしろ、長くフランスを中心とする西欧を範として学問と産業技術、教育制度を輸入し続けた国である。こうした点から見ると、今後とも国際政治の舞台で巨大なパワーとして存在感を発揮するのは、反米連合の中ではロシアではなく中国であろうと予測できる。

3. 日本人の反コスモポリタニズム――文化的特許の主張

世界にはコスモポリタニズムの国々がある一方、そのサカサマを行く国々もある。日本がコスモポリタニズムの伝統を持たないことは、過去も現代も変わらない。おそらく将来もそうであろう。

例えば、日本人の多くは、グローバル化の時代に入った今も「日本文化の繊細さは外国人には分からない」と本気で思っている。「文化的特許」の主張である。戦中、日本軍の暗号が米側に一部解読されていたことはよく知られた話だが(注3)、戦後、日本の軍関係者の中に「複雑な日本語が英語圏の奴らに分かるはずがないと思っていた」と語る人があったという。驚愕すべき話だと思う。大戦中、同盟国ドイツと兵器や図面などを交換するために日本海軍の潜水艦を遠く大西洋に派遣したことがあった。その事前連絡のために、ベルリンの日本大使館と東京の間で電話線が使われた。当然、連合軍は傍受している。通話は鹿児島弁を使い短時間で行われた。米側に「分かるはずがない」と考えたのだろう。しかし、米軍は録音後、考えられる可能性を探った末、日系米国人に接触、ついにそれを「解読」する。

さて、米国は「優れた文物なら外国の物であろうと分からないはずがない」と考える国だ。文化に国籍はないという考えの下で、貪欲に吸収する。さらには、「もし良さが最後まで分からなかったとしたら、それは初めからその程度のものだということだ」と判断する。これに対し、日本人の場合、心の底では「日本のことは外人さんには分かるまい」という思い込みが強い。それだけではない。そこには「分かってたまるか」という意識が働いている。事実は、京都の寺院、仏像をはじめ、日本の多様な文物が海外に貴重な崇拝者、理解者を獲得している。石庭で高名な龍安寺（りょうあんじ）は、そこに置かれた十五の石を同時に全て見ることはできないと長く云い伝えられてきたが、米国人青年が全ての石を同時に見ることのできるポイントを発見している。それは庭前に設（しつら）えた「方丈」の中ほど、畳の上の中空であった。長年、龍安寺の僧侶が「全部見ようとしても、一部の石が必ず隠れ、同時に全てを見ることができない。それは人の認識の限界を教えるものだ」と語っていたのに、その信憑性が外国人青年によって脆くも突き崩されたのである。

そういえば、日本人は見も知らない日本人に対しては一般にツッケンド

京都嵯峨野の龍安寺石庭

ンだといわれる。何しろ、「旅の恥は掻き捨て」という言葉が生きている国である。ところが、相手が外国人となると例外なく、やたらと親切になるともいわれる。これも観光に来た人をもてなすという話ではなく、異文化の人たちに心理的な壁を築く又は距離を置くということだと思う。一見親しげに見えるのだが、お客さん扱いをして遠ざけるのである。逆に、「日本的空間」を知っているはずの日本人には一般にとげとげしく対応する。著者は日本文化を深く愛する一人だが、こうした日本の流儀は好きになれない。

過去にしばらくパリに滞在したことがある。そこで驚いたのは、人々が見も知らぬ人に愛想がいいことであった。レストランで目が合えば、にっこりする。私も何度も笑顔を向けられた。ある時、重い鞄を持って建物の中を歩いていたら、ずっと向こうでドアを開け押さえ辛抱強く、著者がそこまでたどり着くのを待っていてくれた人があった。見知らぬ人に笑顔と親切を伝える。小さなコスモポリタニズムである。これが日本人にはできない。若い人に変化を感じることもあるが、日本の空間で長年かけて熟成した人々には容易ではないと思う。

もし、シェークスピアを研究する日本人学者が英国人に「英国が生んだ偉大な文学者です。日本人に分かるはずがありません。」といわれたら、どんな気持ちがするだろう。もっとも、英国人は実際にはそんなことはいわない。しかし、日本人の方は『源氏物語』は外人さんには絶対分からないと確信している。日本人には小さな自信、誇りがあるのかも知れない。そのわずかばかりの自信、誇りの源を、異文化の外人さんに「解読」され、「侵略」されては自分たちの居所がなくなってしまう、そう思っているのかも知れない。

精神文化は、優れたものほど豊かな普遍性を湛えている。国籍を根拠に「分かるまい」と断言する人がいたら、その人は文化の身分制、差別主義の信奉者に違いない。

《第8節》歴史と文化の狭間（II）

1. もう一つの見方

第7節に、人が作った制度は何でも歴史と文化の影響を受けており、大学もまたそれらの狭間にあると書いた。そこで取り上げたのは、日本社会の底流にある反コスモポリタニズムであった。そうした考察を進めたのは、日本の大学の姿を大きな視点から眺めてみたいと思ったからである。

第8節では、やはり大きな視点を意識しながら、日本文化の「あいまいな影」について考えてみたいと思う。第7節と論調はだいぶ違う。ここでは、日本人の底流にある反コスモポリタニズムを肯定的に採り上げ、評価する。文化や歴史は視点を変えて見ると、その見え方がかなり変貌するという例になるかも知れない。それでいいのではないかと思う。それによって、日本の大学も複合的・立体的な姿、相を見せるかも知れない。

2. あいまいな国

(1) 日本と西洋

「日本人はあいまいに物をいう」などとよくいわれる。だいたいは、日本人のあいまいさはよくないという立場から語られる。しかし、はっきり物をいわないことがそんなに悪いことなのだろうか。真実ほど人を傷つけるものはないともいう。自分と他人の立場や関係に配慮し、距離を測りながらぎりぎりの言葉で自分を表現するのが日本人である。それに、「はっきり」「明確に」と簡単にいうが、人間の感覚や思想というものは言語を使ってどこまで表現できるのだろう。自分で自分が表現し切れない、場合によって自分自身がよく分からないということだってあるのではないだろうか。

フランス人は、人間の考え方・思想は明確に表現できると信じて疑わない人たちである。いいたいことに強力なライトを当て、その内容をくっきり浮かび上がらせようとする。言語の力を信じているのだろう。

「明晰ならざるものフランス語に非ず（Ce qui n'est pas clair n'est pas français.）」という言葉もある。カフェのパリ人も、政治家やニュース・キャスター、デモの参加者たちも、口角泡を飛ばしながらとてつもなくよくしゃべる。言語の消費量は、おそらくフランスが世界一だろう。アメリカのニュース・キャスターは、日本の放送局の倍近い速さで話すが、フランス人はそれよりはるかに早い。まるで、早くいわないと、言葉が逃げてしまうのを恐れているかのようだ。

しかし、言葉は本当にすべてを的確に明らかにしてくれるのだろうか。「大切なものは目に見えない」（サン・テグジュペリ）とすれば、ライトの光はそれが強力であればあるほど、それによって見えなくなってしまうものもあるのではないか。イギリス人の語った言葉に「真理は中間にある」ともいう。光が投射された所にだけ真実があるとは限らず、むしろその向こう側の深い闇に閉ざされた部分、さらには光と光の間にある穏やかな薄暗がりの中に真実が隠れている、ということもあるのではないだろうか。

(2) フランスの歴史に思う

大江健三郎氏は、ストックホルムで1994年のノーベル文学賞を受賞した後、「あいまいな日本の私」という演題の講演を行った。これは、かつて同じ文学賞を受けた川端康成が1968年に行った「美しい日本の私」の講演を意識し、日本の美の伝統を賛美した川端康成を批判したものである

大江氏は、日本の「言語空間」ないし（政治）感覚のあいまいさが歴史認識や政治意識に深く投影し、それが多くの問題を引き起こしてきたという立場から、あいまいさとの訣別を遠く異国の空の下から世界に向けて発

信しようとしたのであろう。それは同時に、言語と論理において「明快なフランス語」を日本語とは対極に置き、「あいまいさからの脱却」を日本の人々に呼びかけたのであろう。フランス語に Ce qui n'est pas claire n'est pas français.（明晰ならざるものフランス語に非ず）という表現があることはすでに述べた。

しかしながら、日本がそのあいまいさゆえに他国を侵略し、戦後なおその清算ができていないというのであれば、「あいまいでない国」フランスが、大英帝国と並び、日本帝国よりもはるかに大きな規模で侵略を繰り返し、世界を分割する大植民帝国を築いたという歴史的事実はどう受け止めたらいいのだろう。侵略した国と地域は、アフリカ、アジアを始め、太平洋、カリブ海など、ヨーロッパを除く地球の全域に及ぶ。それだけではない。フランスは、第二次世界大戦の後、侵略の歴史を今日に至るまで被害国にはまったく謝罪をしていない。こうした事実を突き付けられると、「あいまいでない」ことの言語的ないし政治的な意味や価値は、一体、どこにあるのかと疑問を覚える。フランスが論理と明晰さを訴える国として、他国とは異なった歴史の道を歩んだのであれば、大江氏の指摘をもっともだと感じることができるが、事実は、フランスは英国と並ぶ大侵略国家であった。その事実をどう受け止めればいいのだろう。

フランスの研究を専門とする何人かの人々にこの疑問を問いかけたことがある。その回答は、おおむね「フランスにも誤りはあったが、それを明確に反省し、出発し直そうとする点で日本とは違う」というものであった。しかし、不明な私には、フランスが戦後そのような道を歩んだとはどうしても思えない。植民地に謝罪するなど一度も聞いたことがない。第二次大戦で米軍の力によってナチス・ドイツから解放された直後に、独立戦争を始めたばかりのベトナムに大軍を遣り虐殺を始めた国はどこであったろう。

パリで飲食店を営むアルジェリア人の男は、私にこういったことがある。

「フランスは、泥棒だったのではない。今も泥棒だ。」

ところで、先に挙げた講演の中で、大江氏は日本文化を礼賛する川端康成に辛辣な言葉を向けている。川端が引用した禅の僧侶（西行）の短歌を厳しく批評し、「ただこちらが自己放棄して、閉じた言葉の中に参入するよりほか……・共感することはできない」ものだと論じている。禅の思想が「自己放棄」「閉じた言葉」だという断定に驚く。禅の湛えた豊かな知の価値が全面的に否定されている。大江氏から見れば、禅の世界は「無知の告白」「文明に背馳する後進世界」としか見えていない。文明に背馳するのは野蛮であろう。私には氏が「禅は野蛮だ」といっているように聞こえる。

禅の思想は、その源流を遠くインド古代哲学にまでさかのぼる。それは人類史の中で醸成され、主に中国、日本の思想家によって醇化され現代に残された貴重な知恵であると思う。禅宗は、断定的結論や二項対立によっては真理を見出すことはできないと教える。何事につけても知の刃（やいば）を振り回し、論理を走らせて結論を急ぎ、二者択一の断定を下す方法だけが真理に至る道であろうか。禅宗はこの点に警告を発している。西洋にも「真理は中間にあり」の表現があるではないか。

すでに第2章「知の原点」において述べたことだが、「知と認識の統一」は学問の根源的な要請である（第7節「知の統一」3.「認識の統一」）。それにもかかわらず、西洋の知は、例えば精神・物質の二元論に見られるように世界を分裂・分断する思想である。それは、「統一」の根源的要請に反し、真理を捕捉し切れない限界を孕(はら)んでいる。

禅宗は分裂と分断ではなく、統合ないし融合を説く。西洋思想とは大きく異なっている点で、「不二の思想」に通底する。その希少な知恵を、「自己放棄」「閉じた言葉」と断定していいものだろうか。

《第９章》

存在と宇宙——
波打つ宇宙のほとりで

人類は、広大な宇宙に浮かぶ無数の天体の一つに張り付いて生存する。その天体は果てしのない海原を音もなく進む孤舟のようなものだ。この舟は誰が操っているのだろう。また私たちはなぜそれに乗り合わせることになったのだろう。闇夜に広がる海原には、いつか停泊する港はあるのだろうか。天空の海原。そこを突き進む孤独な地球。人類はそこに棲みつき立っているが、何も知らないまま舟の上にいる。

しかし、この海原も舟も、正確無比の法則に支配されているように見える。宇宙に起こる無数の現象とそれを貫く法則の関係は、小さな譬えだが、樹木の枝を覆うおびただしい数の葉と根元の関係のようなものであろうか。葉と根元の関係を考察することが自然の動きを考えるということなのだろうか。

本章には、人間存在と宇宙をめぐる随想文を収録した。

〈人も自然も波動の現象〉

私たちの息づく宇宙は、あらゆるものが波を打ち揺れ動いているように見える。重力、光、電磁波など微細な粒子により構成された量子の世界は揺らめく波動の現象である。量子の世界だけではない。私たちの目に映る海洋のうねりや、オーロラや風など天空の気象変化もまた、自然が波打ち揺れる姿に他ならない。波動の現象は、私たちの感覚を振動させ、ときに人が具える感覚と共鳴し、感動を呼び起こす震源でもある。どれほど多くの人々が、北極の夜空を彩るオーロラに驚嘆し、春の訪れを知らせる穏やかな南風に心を躍らせて来たことだろう。

波動は人類の精神を養い、やがて文化を発展させる原動力ともなった。

日本人の場合、気象に鋭敏に反応し、雨にまつわる言語を他国とは比較にならないほど豊かに生み出した。秋雨、時雨、五月雨、霧雨、霖雨（りんう）、淫雨（いんう）、長雨、小糠雨、氷雨、村雨、驟雨など、数例を挙げただけで、日本人の感性が自然と気象を微細に識別して来たことが分かる。それは自然界の波動の現象に民族精神が鋭敏に豊かに反応、共振した証拠である。

うねる波動に支配され、さらに波動を生み出す自然界は、片時もとどまることがない。揺らぎの現象は宇宙全体を充たしている。水面でさざめく波の現象が木星の大赤斑——それは流れるガスによって形成されている——によく似て見えるのは、似ているというだけではなく、物質の現象として同じであることを示しているのではないか。私たちの生きる宇宙は、波打つ現象世界である。

自然界が波打つ現象だとすると、その中に包摂されて生存する人と社会もまた波の現象に違いない。人と社会だけが、宇宙空間に存在しながら、他の物質や現象から隔絶した異質、固有の存在であるはずはない。しかし、私たちは長い人類史を通じて自分たちだけを特別な存在と考えて来なかったであろうか。それには西洋の思想が色濃く影響しているであろう。まず動植物など生き物を物質から区別し、次に生き物の中でも人だけを特別扱いにして分離し、次に人の社会を小宇宙として括り出す。何事においても、人と社会を自然世界から分離する作業を絶え間なく繰り返して来たのではないか。

確かに感情として、自身の生命やそれに連なった人々を愛おしいと思い、そこから人間を尊ぶ思想が生まれ出るのは分かる。しかし、そうした見方が人と宇宙の関係を見つめる方法として適切であるかどうかは別の問題である。愛は盲目であるという。自身に対する人類の思い入れが強過ぎれば、物事は冷静に観察できなくなる。人間だけを無反省に特別視、神聖視するならば、そこで創り出される思想は盲目と傲慢の故に肥大化し歪む。それは宇宙の真実とはかけ離れた誤謬の思想となる可能性がある。生存の観点からみると、そうした考えは無益であるだけでなく、生存を危険に曝すおそれがあるのではないか。それにもかかわらず、これまでの宗教や思想には人類だけを神聖視する傾向が強かったと思う。西洋思想には、そうした傾向がことに強い。キリスト教の宗派の中には、宇宙全体が人類を生み出すための壮大な装置であるという考え方まである。

〈宇宙は機械か？〉

宇宙が一つの巨大な「機械」であるとするなら、それを動かすためにはボタンを押す者がいなくてはならない。生命は存在を維持する制御装置を具えた有機体だが、西洋の二元論の下で「機械」に生命はない。生命がないという意味で「機械」は死の現象である。しかし、宇宙自体が生命現象であるとするなら、ボタンを押す者は不要になる。宇宙は機械か生命か。宇宙に渦巻く諸現象を見ると、宇宙全体は自律的な生命現象であるように思える。

地球は海洋・陸地・生物の三つの区分から構成される。三つは、相互に影響を及ぼし合う統一システムを成している。このシステムには二つの方向から影響が及んでいる。

一つは外部から来る力である。かつて、地球の誕生した46億年前から6億年ほど前までの先カンブリア時代に、宇宙では星が大量に生成された。

驚異の星雲――NASA 撮影

「スター・バースト」と呼ばれる。この時期、それまで地球に張り付いていた生き物は大量に絶滅した。ところが、「スター・バースト」に続くカンブリア時代には、生物の数が種類・個体ともに爆発的に増加する。三葉虫など多くの無脊椎動物が発生したのもこの時期で、「カンブリア爆発」と呼ばれる。こうした現象は、宇宙と地球上の生命が関連していることを示しているだろう。

もう一つの力は、地球内部から来る力である。大陸が出現した原因についてかつてマグマの生成力が挙げられたが、これは可能性が低く、現在は海水の低下が有力である。地球表面から消滅した海水は、地球の内部に吸収されたらしい。中心部近くには、海水を大量に吸収できるスペースがあるとされる。海水の後退によって顔を出した大陸に脊椎動物が出現する。

不思議なことに、アフリカ大陸には動物の進化が他地域よりはるかに速い場所がある。人類もまたそこで誕生した。これは推測だが、地球内部の膨大なエネルギーがそこから噴出したと考えられないか。それは今もなお刻々と発散されているのではないか。地球に生命誕生を促す場所があるとするなら、宇宙にも超巨大エネルギーを放出する場所があるだろう。事実、近年の超望遠レンズは星が大量に生成される場所があることを捕えている。

地球も宇宙も、それを機械として見るのは無理だと思う。自然界の諸現象は、地球も含め宇宙全体を生命として見ることを迫っているように思える。宇宙は死の世界ではない。それは煌めく躍動の現象である。カンブリア時代に地球に大量の生物が発生したのも、それに先立つ「スター・バースト」（星々の爆発的誕生）と呼ばれる時期に地球が星々から膨大な量のエネルギーを受け取ったことで発生した現象に違いない。

〈生かされて生きる――自分を超えた自分〉

普段あまり物事を深く考えない人でも、家族や自分が病気やケガで死線をさまようになると、いつもとは違ったことを思うようになる。こうした時、どうして人はこの世にいるのだろう、人生にはどんな意味があるのだろう、という疑問に見舞われるだろう。借金や会社の倒産で、暮らしがどうにも立ち行かなくなった人もまた同じことを思うに違いない。生と死の境目については、多くの人が少しの間考え、少しの人はいつも考え続けている。

しかし、なぜ自分がこの世にあるのかという疑問に、果たして答えはあるのだろうか。同じことだと思うが、人生の意味や目的を知りたいと思っても、誰にでもあてはまるような答えは見つかるのだろうか。

私たちは、自分がここに存在することの意味が分らないために、存在の根拠を問い、追求しようとしてあがく。しかし、人生には、意味はあるともいえるし、ないともいえるのではないか。なぜなら、それは各個の人間が各個に追求し決めるべき事柄であるから。人の中には、意味を問い続けてその探求に消耗して姿をやつし、終には命を絶つ者さえある。しかし、人生の意味は自分が自身に与えるべきものだとすれば、答えが見つからないのは自分がそれをまだ創り出していないということであろう。そのことに気がつけば、苦しんだ末に死を選んだりせず、人生を受け容れる契機が訪れるのではないかと思う。さらには、やがて訪れる死を自然に受け容れるようになるかも知れない。

人生の意味は、石や山がそこにあるように厳然と存在するものではないと思う。山があるように意味がどこかにあると思い込んで探し回っても、それはきっと空しく終わるに違いない。ドイツの詩人ブッセは、幸せを追い求める青年の姿を描いて、「山のあなたに空遠く幸い住むと人のいう。……ああ、われ人と尋め行きて涙差しぐみ帰り来ぬ。山のあなたになお遠く幸い住むと人のいう」と書き残したが、その詩は、人間の幸福は遠い国々を訪ね歩くことによってではなく、わが心を省察することによって自身が掴むものだと教えている。

人は、自分の意志や思いとは関係なくこの世に誕生し、日々を生きる軌道に乗って時間を過ごす。こうした人間の姿を思うとき、人生は自分の意志の力や考え方とは関係なく、粛々と進行するものであることに気が付く。

人が〈生かされている〉とは、そうしたことを意味するのだと思う。星や天空については、人の意志や思い込みと関係のない存在であることを私たちは素直に受け容れる。しかし、自分のこととなると、意志の力で自由が利くような気がしている。しかし、それは錯覚、幻想である。自分を含む人の存在もまた、星や天空と同じように私たちの「手を離れた」「手の届かない」存在である。世界の存在は、すべて私たちの意志や思いを超えていると思う。

「生かされてここに在る」ことの自覚は、人は自分の意志と力によって生きているのではなく、それを超え、私たちにはどうにもならない宇宙の生成力によって存在することを知ることである。私たちの生命の火は、私たちの思いとは関係なく燃焼し、やがて終わって行く宿命にあると思う。

〈自我はどこにもない〉

人には皆、煌々と燃え続ける意識がある。その意識を見つめる〈何か〉もある。人はその〈何か〉を自我と感じる。人々の間に、アィデンティティ（identity ＝自己同一性？）だの「自分探し」などの言葉が流行するのは、どこかに本当の自分があると考えるためだろう。

しかし、私たちが思い込んでいるように、唯一の自分、変わらない自我などというものはあるのだろうか。人は皆、何かの決断をする時、それをじっと見つめる〈別な自分〉がいることを知っている。〈別な自分〉が〈見つめられる自分〉に向かって、時に「やれ」といい、時に「やめた方がいい」という。人が悩むのは、自分が何人もいて、複数の自分が別々のことをいうからだろう。そう考えると、自我は一つではないように思える。

意識の底辺にある自我E1は、別な自我E2によって見つめられている。そればかりではない。見つめるE2と見つめられるE1の双方を同時に見つめるE3が出現する。E3は、次いでE4により見つめられる関係に入る。最初は中心にいて、主体と見えた自我は、いつの間にか客体の地位へと交替、移行して行く。自我をめぐるこうした転移は、認識の過程でやむことなく繰り返される。自我とは、流動と転変のうちにある。固定したものではない。

こうした現象は、おそらく生命体の維持のために生存手段の可能性と有効性を探り続ける人間存在の在り方と深く結びついていると思う。生命環境――それは自然と社会の双方で――は、絶えず変化する。変化する環境は、多様な解釈の可能性を秘めている。そうした中で、認識の誤謬を回避、調整し、生存の確率と有効度を高めるためには、認識の過程と成果を常に――正方向・逆方向の双方から――検証し続ける必要がある。自我と見えるものが視点の移動、転移を繰り返しながら、獲得した認識を弛まず検証しようとする背景には、生存の容器としての環境の無常、無定形が在るように思われる。

自我とは、認識し認識される転変現象の過程自体であり、それ以外に自我に相当するものはないと思う。もし固定した中核があって、外面外皮だけが環境変化に順応して変容する性質のものであったら、その中核を指す概念として自我を構成することは有効であろう。しかし、人体内に生起する現象は、認識し認識される相互的かつ動態的・発展的な関係である。こうしてみると、自我として設定された概念は、認識をめぐる転変と流動の過程と関係を〈実体化〉したものと見るのが正しいように思われる（実体化された自我)。そうだとすれば、自我の核心を前提とした概念、例えば「自己同一性」などは成立の根拠を失い、ありもしない空虚な概念に帰するように思われる（自我の消失)。自我とは、転変と流動のうちにある。自我と呼称できる確定した拠り所は、どこにもないように思われる。

〈人が山を見ることは山が人を見ること〉

アメリカ・インディアンのナバホ族の女性が、こんなことを語っていた。以前見たネットの動画の話である。——まだ小さな女の子だった頃、夏の暑い日、私は祖父と一緒に日なたに座っていました。空には雲ひとつありません。そのうち、汗が出てきました。すると、祖父は、空を指さしていいました。「ほら、見えるかい。あれはお前の一部なんだよ。お前の汗はやがて雲になり、雲は雨になって植物を育む。動物は、その植物を食べて生きているんだよ。」

この話は、人と自然が一つに融け合ったものであることを教えている。自然は循環によって成り立っている。人は自然と対立したものではなく、自然の一部であって、人間自身が自然であるという思想である。

こうした見方と反対に、西洋の思想・哲学は、人と自然を対立させ、人は自然ではないと考えてきた。人と自然を分離する思考の形式は、キリスト教が創り出したといわれるが、それに先立つ西洋思想の源流がキリスト教に影響を与えた可能性もある。どちらが先であったにせよ、分離の思想は、人間だけを自然界から切り離し、特殊な存在だと考える。それは、人間中心の傲慢な思想に成長して行った。

宇宙は、137億年前に大爆発（ビッグ・バン）によって誕生したという。万物がそれによって生成されたのだとすれば、人類もまた天体と同じように、宇宙的時間の成長に伴い天空に撒かれた星屑、星の欠片(かけら)であろう。人類と天体はともに、宇宙の法則（運命）に従った存在であり、両者を区別すべき理由はどこにもないように思える。私たちは、星屑、星の欠片であって、満天に煌く天空の仲間である。

人類が宇宙の一部だとすれば、人類の活動はすなわち宇宙の活動である。私たちが物事を考え、何かを生み創り出す能力があるということは、つまり宇宙がそのような能力を持っていることを示している。それは、宇宙自体が、思考し活動する存在であることを意味する。

こうした考え方の下では、主体と客体の対立も消滅する。そこでは、人が山を見るなら、それは山が人を見るということになる。見る者と見られる対象の区別はなくなってしまう。現代人は自然が循環するという思想は受け容れている。しかし、自身をその循環の中に置かない。土壌中のプラスティックのように自然と交わらない、そう思っている。

〈自由意思は幻想？〉

宇宙の営みは決定論によって説明する他はないように見える。物質世界は素粒子の運動に規定され、そこからすべての揺らぎと波動の現象が起こっているのではないか。素粒子が法則を外れ進行方向を選択する気まぐれが許されるとは考えられない。それなのに、素粒子が多数集合し生物になると、自由意志を持つようになるという考えは成り立つのだろうか。ロボットが２体合体すると、ロボットでなくなるという考えが不自然であるように、素粒子が集合体になれば突然自由意志を持つようになるという考えも不自然に思える。宇宙は、選択の余地のない必然に従って波打っているのではないか。

人は自身の自由意思を信じ、人と社会が必然に従っているという思想を不快に感じる。およそ「人間性」「人間的な」という観念は、自由の思想と深く結合している。自由だから人間なのであり、自由でなければ人間的ではない。そう思っている。しかし、人間が自由な存在だという思想は、おそらく人間の傲慢に過ぎない。近代の西洋思想は、自由かつ主体的な人間像を生み出したが、それは主体的な人間像こそが人間の傲慢さを満足させ、したがって最も居心地の良いものであったからではないか。人間は合理性を追求し自身の行動を選択できる存在だという思想も、そうした傲慢さの中で成長した考え方だと思う。西洋人は自由なる人間像を打ち壊す思想は信じたくなかった。そんな冷たい存在が人間であるはずがないと思ってきた。何しろ人は神から選ばれた特別の、神聖視すべき存在なのだから。しかし、そうした考えは不遜なる人間の限界を示しているように思える。

自由は人の幻想だろうと思う。自身の周辺環境や未来を見通す能力を欠き、因果のプロセスが見えないために、自分が行動を決めているような錯覚を抱くのだろう。決定論に従って動くだけの自身の姿を、後追いの感覚によって自由だと感じる。事実は、周辺世界も自身の存在も、人間が捕らえる範囲は感覚が機能する極小、微細な一部に他ならない。ほとんど何も見えていない。見えないために、感覚世界は自分の支配下にあるように思うのだろう。というべきか、周辺世界に対する支配欲が強すぎて、支配できていると錯覚したいのだろう。

人は自由な存在ではない。それは必然の大海原に浮かぶ小さな木の葉である。その木の葉は、小さな感覚器官を具えている。わずかに機能する感覚には、周辺環境の現象や自身の揺れ動く姿が映し出されるだろう。この感覚は、その小さな存在にも似合わず、攻撃性と支配欲に富んでいる。木の葉はやがて、大海の波に動かされるだけの自身の姿を忘れ、又はそれが見えなくなって、自分の意思によって縦に横に動いていると信じるようになった。それが、近代以降、自由と主体性を獲得したとされる自我というものの正体ではないか。そこにあるのは、身のほど知らずの傲慢と勘違いである。

〈目が足を見る〉

私たちは普通に、目で足を見る、手を見るという。目は視覚を司(つかさど)るが、足や手はそうではないので、目が足や手を見るという言い方を当然に感じる。しかし、人体は、目や手足だけではなく、臓器なども一緒になって一つのまとまりを成している。様々な要素がバラバラではなく、関連し合い、まとまった機能を果たす関係にある場合、それを有機体という。人体は、食物を得て子孫を残すために、有機的な活動を繰り返す。

目が足を見るという言い方をする場合、目と足が別の、独立したものであるように聞こえる。しかし、目も足も、有機体として一体化した身体の部分である。その点に着眼すると、体が体を見るという言い方が成り立つ。なぜなら、目も足も、全体の一部分であるから。さらには、自分が自分を見るという言い方が成り立つ。なぜなら、目も足も認識し意識を有する自分の一部であるから。

人体について上に述べたことは、宇宙と私たちの関係にもそのまま当てはまる。私たちは星屑である。人間は、宇宙生成の最果てで誕生した星屑と何も違わない。人間という微小の存在は、宇宙的時間から生み落された物質現象である。その小さな現象は、宇宙全体の生成に有機的に結合された部分現象である。そうである以上、人が星を見るのは宇宙が宇宙を見ることを意味する。

〈虚心〉

人は、自分の周辺世界に向けて意識の光を照射し続ける。それはまるで、あたり一帯の海面を照らし続ける灯台のようだ。この世に人として誕生し死に至るまで、光を出す自分と照射を受ける周辺世界との関係は変わらない。しかし、人は宇宙の星屑で、宇宙の一部分であるとしたら、視点を転換し、宇宙から人を見つめることも大切ではないだろうか。

地球には、無数の生命がその表面や内部に這いつくばるようにして棲息する。その一つの種類として人がある。人は、地球を組成する有機物、無機物の一部分にすぎない。天空高くから、人の生存と活動を見つめる時、人が宇宙の一部でしかないことを認識するだろう。もし地球上の都市社会で交わされる膨大な通信を視覚的に表示できたとすれば、人々はそれがそのまま地球つまり宇宙の活動を表示するものである事実を受け容れると思う。

煌々と光を発し続けるような人の意識は、自分たちだけのものではない。私たちが宇宙の一部だとするなら、人の意識は宇宙の意識でなければならない。

禅の作法は、心を空しくして、ある境地に達することにあるという。己を空しくするとは、己を忘れることだという。これは、世界と己の関係において、常に自己から世界を見つめる状態を離れ、世界の側から己を見つめること、さらには己と世界の区分を捨て去って、渾然とした視点に達することを教えているのではないか。そうだとすれば、禅は「汝、宇宙を思え、宇宙の一部であることを知れ」と教えているのだと思う。心が空しくなったとき、主体と客体の分離は消え、そこに意識だけが浮遊するのだろうか。それは、物質と精神を区別する西洋思想の精神に当たるものであろうか。

人は、この世に誕生して以来死に至るまで、周辺世界に意識の光を照らし続けることに疲弊する。東洋の知恵は、その光を逆に当てることを教えてくれる。虚心とは、そういうものではないだろうか。

〈この世とあの世〉

人は、この世とかあの世という言葉を使う。死後の世界はあの世だ。しかし、誰かが死んでも世の中が消えたりなくなったりするものではないので、人の死を境目にするのではく、別な使い方があっていいのではないか。例えば、私たちの日常性の中にある世界をこの世、日常性を超えてしまった世界をあの世とする使い方である。

日常を基準とすれば、この世とは私たちが生活を続け、感覚で捕捉できる世界だ。人は、そこで常識と譲り合いを説く。そこで、多くの人が寄り集まって社会生活が成り立つ。この世では、体験を言語で交換し、生活の範囲を広げることも可能である。人の感覚は似たようなものだから、生活の中で得た感情や思いも同じようなものになるだろう。そこに、共感を基礎とした、音楽や文学などの芸術も成立する。

これに対し、あの世は、そうした日常性を超越し、感覚の及ばない領域であるから、そもそも体験ができない。そこでは当然に、異なった人同士が体験を語り合い、理解や感想を共有することもできない。

現代の自然科学は、人間の身長の10億×10億×10億倍の大きさを持つ宇宙から、逆に〈10億×10億〉分の1しかない極微の世界までを探求している。私たちが暮らす領域は、自然科学が探求するその領域の、ごく微小の一部でしかない。その他の広大な領域は、私たちの日常性を遥かに超えた世界である。つまり、ほとんどがあの世の世界である。

この世のことは分かるが、あの世は体験できないので分らないし想像もできない。重力や素粒子など、ノーベル賞の受賞者などが発見した領域は、専門外の人たちには難しくて分らない。そうした話は感覚を超え、体験したことのない領域の話だから当然である。あの世は、日常の世界を超えている。そのために「ノーベル賞のすごい発見だというけど、生活に何の影響がある？」という素朴な感想が出て来るのだろう。この世とあの世の関係を物語る感想だ。

あの世は、日常を超えた言語によって接近することができる。しかし、その言語を操れるのは優れ者の学者に許された特権である。優れた学者同士が見解を交換し、真理が共有される。やがて真理が定着し、時間を経過すると次第にその知見が一般の人々にも広がって行く。しかし、それは簡単ではない。携帯電話やGPSが広く使われるようになったが、それを支える重力理論の理解が広がったとは思えない。

この世とあの世の区別は、時代により変化する。境目は、流動的である。あの世は科学の発達によって次第に解明されて行く。それでもなお、あの世には分らないことが多い。それを解明しようと格闘するのが哲学である。かつて分らなかった世界が少しずつ分かって来ると、今まで哲学の領域にあったものが科学の世界に進入して行く。あの世からこの世へ。しかし、科学上はこの世に入って来ても、一般人の生活ではまだあの世のままであることも多いだろう。

〈ネアンデルタール人とホモ・サピエンス〉

なぜネアンデルタール人（旧人）は滅び、それに代わってホモ・サピエンス（新人）が地上の支配者になったのであろう。その交代劇の背景を学習能力の違いよって説明しようとする学習仮説が、注目を集めている。文化人類学や脳の専門家などを中心とする日本チームが、5年の年月をかけて仮説の検証に迫ったという。チームは15人、外国の研究者とも共同しながら世界3000か所で実地調査を行い、作業は2015年に終了した。

調査によれば、旧人と新人は同一地域に生存した時期があったが、時期が下って行くにつれて旧人は寒冷地、急傾斜の土地、高所に住むようになり、やがて消滅する。交替は4万年前から3万年ほどかけて進行した。その痕跡は、アメリカ大陸を除く旧大陸つまりアフリカ、ヨーロッパ、中東などで認めることができるという。

旧人は100〜200平方メートルの狭い集落で生活したが、新人の集落は大きい。使う石器に違いはない。注目されるのは、ビーズなどを用いた装飾品は新人の集落だけから発見されることだ。それは社会性の発達の違いを裏付けるのではないか。装飾品は、他者に見せ、アピールし、見た人はそれを承認するという関係になければならない。新人の社会はより分化、発達した組織だったのではないか。

脳を比較すると、新人の小脳、頭頂葉がわずかだが大きいようだ。ただし、小脳の機能は現代医学でも定かではないので、脳の発達を学習能力の高度化に直結させることはできない。しかし、わずかな違いが大きな差をもたらす可能性はある。これは著者の推測だが、両者の違いは組織力の違いによって生み出されたのではないだろうか。すでに装飾品の存在が社会性の発達を裏付けている。旧人は、がっちりとした体形で、肉を好んで食べていたらしい。肉体的な強さは、おそらく新人を上回っていた可能性がある。それにもかかわらず、新人は旧人を駆逐する。それを説明するのは、知的な学習能力以外にはないのではないか。むしろ、知力があれば肉体の力はさほど必要はないということを示しているのかも知れない。

学習能力の違いが人類の世代交代を説明する仮説として有効なら、現代人もまた新たな交代劇の途上にあると見ていいのではないか。地球上の民族、人種、国々は技術開発、生産力により他を支配下におくために激しく覇権を争っているからだ。戦争はやまず、侵入と侵略が続いているが、争いの決着も兵器の優劣が大きくものをいう。平時戦時を問わず、人類は知恵比べで勝つために鎬を削っている。学習仮説は現代世界でも有効に働いている。

〈知性は細胞に宿る？〉

生き物の知性は、脳により脳で生み出される。脳は経験から学習し、その成果に基づいて行動を制御する。誰もがそう考えてきた。しかし、これを覆すような話がある。

天体に意志はあるか——NASA 撮影

モジホコリは、腐敗した葉や樹皮の間に棲息し、微生物などを捕食する単細胞の生物である。脳のような中枢の神経システムは具わっていない。モジホコリの学習能力を試すための実験が次のような方法で行われた。モジホコリを寒天の入った容器に入れ、その近くに栄養分となるエンバクを入れた別の容器を置く。二つの容器の間に寒天でできた"橋"を作ると、モジホコリは2時間程度をかけてゆっくりとエンバクに向かって進んで行く。次に、"橋"の一部をカフェインなど苦みのある物質によって汚染しておくと、モジホコリはこれを嫌い、汚染箇所を避けようと試行錯誤を繰り返した後、汚染されていない通路を見つけ出し、そこを通過して行くようになることが確認された。さらには、同じ実験を繰り返して数日経過すると、通路を見つけそこを通過するモジホコリの行動が次第に早くなって行ったという。こうした実験は、脳がなくても、細胞には学習する能力があることを示している。

脳の研究者が「手は脳の一部です」と語るのを聞いたことがある。同じことは、目や耳、内臓などの臓器にも当てはまるだろう。人の身体が脳の一部だとするなら、身体を構成する細胞がすでに脳の機能を具えている可能性が高い。なぜなら、脳と身体の一体的な関係を見る限り、脳だけを知性の具わった指令所とし、身体はその指令を受けるだけの道具であると見るのは困難に思えるからだ。まず身体には、脳の命令を着実に受け止めるだけの能力が必要である。それが身体中に張りめぐらされた神経だとするなら、身体にはさらにその神経の伝達を着実に受け止め、それに応じた行動を統制するだけの能力がなければならない。情報処理能力。神経の伝令を受け止めるのは、さらに枝分かれした神経だという論法だと、神経でない身体に命令は伝達されない。結局、脳でも神経でもない身体に命令を受け止め、機能させるだけの能力がなければ、人は一体としての身体機能を果たすことはできないだろう。

口も舌も皮膚も、腸も胃も脳の一部とみるべきではないか。というより、脳こそ身体の一部ではないのか。これは、脳中心主義から身体中心主義への転換を促す見方である。こうした身体中心の見方に立つと、脳の役割は中枢というより、身体の各部位が持つ知的能力を受動的に調整するものへと変化する。脳は司令本部ではなく、調整の、より控えめな役割を持った器官となる。

モジホコリの実験結果は、単細胞が知的能力を持つことを明らかに示唆している。それは、脳の機能の見直しを迫っている。TVなどで専門家が、「脳には未だに不明な部分がある」と語るのをよく聞くが、脳中心の見方を転換し、身体の各部位がそれぞれ小さな脳である——さらには細胞レベルで知的な活動が行われている——と見ることによって、解明の糸口が見つかるのではないだろうか。これまで、人体の機能を理解するために脳中心主義が不相応な優先権を主張してきたのではないだろうか。

《本文注釈》

はじめに

（注1）　寺田寅彦『柿の種』岩波書店、2015年、11頁。

第1章

（注1）　大栗博司『重力とは何か』幻冬舎、2012年、4～5頁。英国の著名な宇宙物理学者ホーキンング博士（Stephen Hawking、1942-2018）もまた同様の趣旨を次のように書いている。「（私たちの命は一瞬にしか過ぎないにも関わらず）人間はこの宇宙がどんな世界なのかを懸命に探求してきました。……人間は極めて好奇心の強い生き物です。森羅万象に興味を持ち、なぜ、なぜ、と問いかけ、その答えを求めてきました。」スティーブン・ホーキング（佐藤勝彦訳）『ホーキング　宇宙と人間を語る』エクスナレッジ、2011年、9頁。

（注2）　英国の哲学者ホッブズ（Thomas Hobbes、1588-1679）は、人間の闘争的な内面を観察し、権力のない自然状態に陥れば、人間は人間に対して狼であり、そこでは〈万人に対する万人の闘争〉が繰り広げられると説いた。彼は、著書『リヴァイアサン』の中で、生命と財産を保護するためには権力が必要だと説いて次のように書いている。「（自然状態では）懸命に働いても仕方がない。その成果が自分の物になるかどうかが分らないからである。……そこでの人間の生活は、孤独で貧しく、不潔で、動物的で、短い。」このように、ホッブズは人間の本性は闘争的だと説いたが、ギリシャのソクラテスは、人間はもともと秩序を大切にする社会的な動物であると説いた。両者の人間観は、真っ向から対立する。

（注3）　法律が弱者を保護するとはどのような意味であろうか。民法を例に取り上げて説明しよう。民法は、大まかに市民法と社会法に分類される。市民法は、すべての人を自由・平等・独立の主体として扱う。これを使用者と労働者の関係に当てはめると、両者が結んだ労働契約は「対等な当事者」が自由意思

で合意した契約であるから、たとえ労働時間・賃金・休暇をめぐる条件が労働者側に不利な内容であっても有効な契約として扱う他ないはずである。しかし、市民社会が進展して富の集中と偏在が起こり、そこで労働者が現実に置かれた地位をみると、「対等な関係」は幻想である。そこで、市民法の形式的又は抽象的な平等に代えて、実質的な平等を確保する必要が出てくる。こうした思想に沿って誕生した新たに誕生した法が労働法である。労働法に違反する労働契約は、たとえ労働者がいったんは納得し合意した場合でも、無効とされる。労働法は、広く経済的弱者の救済と保護を目的とした社会法の一領域を構成する。他にも借地借家法、利息制限法、身元保証法などが社会法を構成する。

（注4）「神学と同じように哲学も、これまで明確な知識を主張し得なかったような事柄に関する思弁……哲学は科学と同じように……人間の理性に訴えるものなのである。すべての明確な知識は科学に属し、明確な知識を超える事柄に関するすべての独断は、神学に属している……。……神学と科学の間には、この両方からの攻撃にさらされている無人境がある。この無人境が哲学なのだ。」ラッセル（市井三郎訳）『西洋哲学史』みすず書房、1975年、序1頁。ラッセルは別な書物の中で次のようにいっている。「哲学とは、正確な知識を云々することのまだできない事柄についての思弁だということになりましょうか。……科学とは私たちに分かっているもの、哲学とはわたしたちに分らないもの、でしょうかね。」（バートランド・ラッセル（東宮隆 訳）『ラッセルは語る』みすず書房、1979年、5-6頁）。

（注5）philosophiaはギリシャ時代、学問一般を意味した。

（注6）「正しい生き方と関わりのあるすべての技術の理論的研究は、哲学と呼ばれる知恵の探求と結びついている。」マルクス・トゥッリウス・キケロ（木村健二他訳）「トゥスクルム荘対談集」『キケロ選集（12）』岩波書店、2002年、3頁。

（注7）朝永振一郎（1906-1979）。ここに引用したのは、京都市青少年科学センター所蔵の色紙に書かれた言葉である。

（注8）　ただし、古代ギリシャのパルメニデスは絶対不変の実在を考え、それが現象となって姿を現すと考えた。それを人は認識する。しかし、人に捕捉されたのは現象で実在ではない。彼にとって、存在は当然の、当たり前のものではなかった。

（注9）　Hans Kelsen（1881-1973）。

（注10）　統一法秩序とは、様々な法律が各個バラバラに無関係に存在するのではなく、全体としてまとまり整合的に役割を果たすことを指す。

（注11）　Antoine de Saint-Exupéry（1900-1944）、フランスの文学者・飛行家。飛行家の生活を通して見た人間性を題材として作品を発表した。「夜間飛行」「戦う操縦士」など。

（注12）　Paul Natorp（1854-1924）、ドイツの哲学者。「カントへの還帰」を訴えた新カント派に属した。ナトルプ（橘高倫一訳）『哲学　其の問題と其の諸問題』東京大村書店、1931年。

（注13）　アインシュタイン、アルバート及びインフェルト（石原純訳）『物理学はいかに造られたか（上巻）』岩波書店、2013年、4頁。

（注14）　吉田満は、目前に見た大和と米海軍航空隊の死闘を戦後『戦艦大和』という本に書き残した。160頁を超える文語体の記録文だが、敗戦後帰還してから一日で書き上げたという。4月7日の昼12：30から開始された米軍の猛攻撃は数波に及び、合計ほぼ1000機が大和に襲い掛かった。大和はわずか1時間半の戦闘で爆沈、乗組員3300人のうちほぼ3000人が戦死、永久に帰らぬ人となった。

（注15）　ウパニシャッドUpaniṣadは「秘伝を受けるため師の傍に座る」という動詞から作られた言葉だという。廣松渉他『哲学思想事典』岩波書店、1998年、137頁。

第2章

（注1）　大栗博司『重力とは何か』幻冬舎、2012年、4頁。

（注2）　田中美知太郎「ヘラクレイトスの言葉」『田中美知太郎全集』第23巻、筑摩

書房、1988年。

（注3）　哲学では一般に「実体化」とは「抽象的・観念的なものを独立の存在として具体化すること」と理解されている。つまり分かりにくい抽象的な事柄を具体的な何かに置き換えることだ。鳩は平和の象徴といわれるが、これも一つの実体化の作用である。

（注4）　ギリシャ時代、プラトンが唱えたイデア論は、永遠不変のイデア界と対置し、地上世界を儚く揺れ動く影絵として解釈する。イデア界と現世の映像は重ね合って浮かび上がり、いずれ現世の映像は儚く消えて行くと考えるのだろう。こうした二重写しの世界はキリスト教に受け継がれている。

（注5）　ファイヒンガーの著書「かのようにの哲学─人類の理論的・実践的・宗教的虚構の体系」はカント哲学に対する疑問の提示である。

（注6）　Paul Gauguin（1848-1903）。

（注7）　essentia（本質）、existentia（現実存在）の区別は、古代ギリシャのプラトンが唱えたイデア論に影響を受けていると思う。

（注8）　「……観念的なものと実在的なもの、世界像と生の形姿とは、それぞれ同一不可分の精神的発展過程の契機となっているのである。」カッシーラー（山本博史 訳/門脇卓爾・高橋昭二・浜田義文 監修）『カントの生涯と学説』みすず書房、1986年、10頁。

（注9）　「法哲学は……・対立に支配されているが、この対立は哲学における……より一般的な対立の一特殊事例である。」ケルゼン（長尾龍一 訳）「自然法論と法実証主義」『自然法論と法実証主義』（ハンス・ケルゼン著作集Ⅲ）慈学社出版、2010年、232頁。

（注10）　廣松渉他『哲学思想事典』岩波書店、1998年、1739頁。

（注11）　マルティン・ハイデガー（熊野純彦訳）『存在と時間〈一〉』岩波書店、2013年、190～193頁。

（注12）　ブルクハルト（Jacob Christoph Burkhardt、1818-1897）は、「イタリア・ルネサンスの文化」の中で、ルネサンス期のイタリアでギリシャ・ローマの文芸が復興し、個人主義もその過程で生まれたという。ただし、批判も多い。

（注13） 18世紀に起こった啓蒙思想の運動は、一切を人間理性の光の下で見ることにより、社会の旧弊を打破し、新たな社会制度を創り上げることに目指した思潮であった。イギリス、フランス、ドイツがその舞台となった。

（注14） 中国の論語は孔子の言行として「唯だ女子と小人とは養い難しと為す。」「これを近づくれば即ち不遜なり。これを遠ざくれば即ち怨む」（巻第九 微子第十八）と書かれている。孔子は前5〜前4世紀に活動、後世において聖人として崇められた。法はそこで既に存在世界に足を踏み入れている。法の固有領域を絶対化するのはプラトンのイデア論と通底し、その練り直しであると考える。

（注15） 「もし心と身体がまったく異なる属性をもった二つの別の実体であるということになると、そもそもこれらが相互に作用し合うということがどうして起こるのか説明が付かなくなるからである。」廣松渉他『哲学思想事典』岩波書店、1998年、828頁。

（注16） 自然科学は因果法則を追求するが、法学は当為を追求する点で原理的に異なる学問であるという。「〜である」と「〜であるべきだ」の世界は命題として異なっているのは確かである。しかし、学問的観点において価値と自然を相容れない世界として断定することには飛躍がある。法は価値に関わるが、人と社会は存在世界の内部に存在し、そこで法は制定され、人々の意識と行動に投影され順守されている。

（注17） ケルゼンにとり認識の統一は最大の関心事の一つであった。「一切の法を一つの体系において…考察すべきであるという認識論的要求が含まれて。…この認識は—自然科学と全く同様に—その対象を統一体として叙述すべき任務をみずからに課するものである。この統一の消極的規準は矛盾のないことである。」ハンス・ケルゼン（横田喜三郎訳）『純粋法学』岩波書店、1973年、207頁。ケルゼンはまた別な著作で、次のように「人間の認識が、本来の衝動に単純無批判的にしたがうと、認識の対象を重複させる傾向があることは……確認された事実である。……事実の本質を極めようとする願いが、事物の「背後」に何があるか、を問題とすることを人間に強いる。」ハンス・ケ

ルゼン（黒田覚訳）「自然法論と法実証主義の哲学的基礎」『自然法論と法実証主義』木鐸社、1973年、56頁。

（注18） カント哲学は「物自体」と「現象」を区別する。それを根拠としてカントは「二元論的」と評価されることがある。しかし、その哲学は原理的一元論に立つ。「物自体」と「現象」の区別は認識の過程を論じたものである。

（注19） ラッセル（市井三郎訳）『西洋哲学史』みすず書房、1975年、4頁。

（注20） Hans-Georg Gadamer（1900-2002）、ドイツの哲学者。

（注21） H. G. ガダマー（轡田収他訳）『真理と方法Ｉ』法政大学出版局、1986年。

第3章

（注1） S. Toulmin, The Philosophy of Science:An Introduction, 1953。

（注2） イギリスの植物学者ロバート・ブラウンは、1827年に水中に浮く花粉の不規則な永久運動を発見、後にその原因が周囲の媒質の分子が衝突することによる運動であることが判明した。

（注3） Erwin Shrödinger（1887-1961）。なお、湯川秀樹がその影響を受けたことについては湯川秀樹「旅人」を参照。

（注4） Jacques Lucien Monod（1910-1976）。

（注5） J. モノー（渡辺他訳）『偶然と必然』みすず書房、2016年、6頁。

（注6） ハンス・ケルゼン（黒田覚訳）「自然法論と法実証主義の哲学的基礎」『自然法論と法実証主義』木鐸社、1973年、62頁。

（注7） ウパニシャッドはバラモン教の聖典ヴェーダの一部を構成する哲学文献。その数は200を超える。古いものは2500年以上さかのぼるといわれる。紀元前5～4世紀に数世紀をかけて編纂されたらしい。ウパニシャッド（Upaniṣad）はもともとサンスクリッド語のupa-ni-sad（近くに座る）に由来するという。京大東洋史辞典編纂会『新編 東洋史辞典』東京創元社、1995年、82頁。

（注8） 宇宙我と個人我の一致を「梵我一如」と表現する。なお、宇宙我はブラウフマン（bráhman）の訳、個人我はアートマン（ātman）の訳、それぞれ世界原理、個人原理と訳されることもある。大我、小我という訳もある。 この

哲学において、ブラウフマン―アートマンは時間空間を超越する絶対者であり、一切の根源である。

（注9） シュレディンガー（岡小天他訳）『生命とは何か』岩波書店、2015年、178頁。

（注10） 現代を生きた数学者岡潔（おかきよし）もウパニシャッドの思想に影響を受けた学者とみられる。「時空のわくに閉じこめられた小我に対して、あまねくあるものは大我であり、理性的には『大我の中に各人のメロディーがある』といわれている。しかし……メロディーの中に大我があるというのが正しい。」「数学の本質は禅と同じであって、主体である法（自分）が客体である法（まだ見えない研究対象」に関心を集め続けてやめないのである。）岡潔『春風夏雨』角川書店、2014年、18頁、210頁。

（注11） 廣松渉他『哲学思想事典』岩波書店、1998年、429頁。

（注12） この他にも、ティベット仏教は、大宇宙としての天空、小宇宙としての仏身が合一し、仏身即宇宙であると説く思想である。『哲学思想事典』1069頁。

（注13） バーランド・ラッセル『西洋哲学史』みすず書房、2000年、576頁。

（注14） Arthur　Schopenhauer（1788-1860）。

（注15） バーランド・ラッセル『西洋哲学史』みすず書房、2000年、748頁。

（注16） 廣松渉他『哲学思想事典』岩波書店、1998年、954頁。

（注17） 前掲書、1003頁。

（注18） Timaios。プラトンの自然哲学に関する著書。

（注19） 前3世紀から後3世紀にナイル川の沿岸都市で書かれたヘルメス文書の中に示された世界観。人間と世界を二元論的枠組みで捉える思想が見える。

第4章

（注1） 廣松渉他『哲学思想事典』岩波書店、1998年、1739頁。

（注2） 柳田国男「海上の道」『海上の道』岩波書店、2017年。

（注3） 梅原猛はアイヌ文化に日本縄文期の思想が色濃く残っていると指摘する。それによれば、日没は死を招き、日の出によって毎日再生が繰り返されるという。

（注4） ドイツの詩人カール・ブッセ（Karl Busse 1872-1918）の詩は、野山を越え

大地を進む太古の人々の遠い原風景のように思える。これは若い男女の青春の憧憬を歌い上げただけの詩ではないと思う。よしそれが青春の憧憬であったとしても、そこに太古の地上を移動し続けた人類の魂が響き合い聴こえるように感じる。

山のあなたの空遠く　「幸」住むとひとのいふ。
ああ、われ人と尋めゆきて　涙さしぐみ　帰り来ぬ。
山のあなたになほ遠く　「幸」住むと人のいふ。
上田敏訳『海潮音』

メーテルリンクの「青い鳥」は、男女二人が幸福の象徴・青い鳥を探し求めて旅を続けた後、空しく帰り着くという物語である。最後に我が家の炉辺で幸福を見つける。これもまたブッセの詩と同じように、はるか遠く野山を超えて幸福のありどころを探し続けた太古の人々の嘆息を聞くように感じられる。

ブッセやメーテルリンクを読む現代人は、太古の時代、地球を歩み続けた祖先たちの末裔である。数万年後の私たちの中に、その遠い記憶と遺伝子が確かに刻印されている。作品が世界の人々から名作として受け入れられるのは、人々の遠い記憶と作品の間に共鳴が起こっているためではないだろうか。

（注5）　中国の伝説の中に、蓬莱山という霊山が出現する。蓬莱山は渤海湾に面した山東半島の遥か東方の海中にあって不老不死の仙人が住むといわれた（文華週零集）。中国の史記「秦始皇本紀」によると、徐福という男が秦の始皇帝に書を送り、「海の中に三つの神山、蓬莱、方丈、瀛洲（えいしゅう）があり、そこには仙人が住み、不老不死の薬がある」と伝え、始皇帝がこれに騙される話が出て来る。皇帝もまた東方にあるという幻想の楽園を信じたのである。日本の竹取物語の中にも、かぐや姫が求婚の皇子に向かって、蓬莱山に立つ白金黄金の樹木の枝を折って来るように求める場面がある。遥か東の彼方に楽園が存在するという伝説は、崇拝する太陽が東方から昇るという事実と結びついて

いないだろうか。もしそうだとするなら、アフリカに誕生したホモ・サピエンスがひたすら東方を目指して歩き続けたという見方を補強する話であるのかも知れない。

(注6)　エディンバラ大学とケント大学のクームス教授の共同研究によると、壁画の多くは巨大な彗星が出現した日を記録している。当時の星座の位置から描かれた動物は牡牛座、獅子座などを表わしているという。

(注7)　石柱には特定の日に見える星座、春分秋分の日が記されている。洗練された天文知識を持っていたことを裏付ける。

(注8)　京大西洋史事典編纂会『新編 西洋史事典』創元社、1997年、41頁。

(注9)　本文の内容はNHK・TVの2017年3月11日放送「よみがえるアイスマン～科学とデータが明かす謎」の内容に依る。なお、参考文献として、デイビッド・ゲッツ（赤澤威訳）『知られざる世界　アイスマン　5000年前から来た男』金の星社、19997年、61～80頁。

(注10)　現代人の思い込み、思い上がりは他の動物の優れた能力を見落としていることとも関係があると思う。例えば、人は鳥のように空を飛ぶことはできない。鯨やこうもりのように超音波の能力はないし、蜘蛛のように糸を吐き出し、それで毎日張り替える芸当もできない。犬の臭覚、回転しながら安全に着地する猫の感覚、渡り鳥の方向探知能力もない。たしかに人間は、科学技術の開発によって超音波を操作できるし、潜水艦や航空機も製造し運用することができる。しかし、それは他の動物が生まれながら持つ能力を人工的に作り出しているというだけである。他の動物には必要がない技術である。

(注11)　ヘロドトス（Herodotos、前484頃～430年以後）はペルシャ戦争を題材とする大著『歴史』を書き残し「歴史の父」と称された。

(注12)　梅原猛『梅原猛著作集17 人類哲学の創造』小学館、2001年、90頁。

(注13)　紀元前4000年頃からメソポタミア地方に世界最古の文明が成立した。各地に散在する遺跡には都市の形成を示す痕跡が残っている。

(注14)　梅原猛『梅原猛著作集17 人類哲学の創造』小学館、2001年、92頁。

(注15)　京大西洋史辞典編纂会『新編 西洋史辞典』東京創元社、1997年、743頁。

（注16）　和辻哲郎『ポリス的人間の倫理学』岩波書店、1973年。

（注17）　ラッセル『西洋哲学史』みすず書房、13頁。

（注18）　アリストテレスは『形而上学』において、「最初の哲学者タレスは『それは水だ』といった」と書いている。「それ」は不明だが、世界の根源を意味すると解釈する学者もある。タレスは港町ミレトスに生まれた。本文の記述が、ギリシャの知と豊かな海洋を結びつけたのはタレスの「水」に発する。なお、ミレトス学派は古くから自然哲学の研究で知られる。

（注19）　Paul Natorp（1854-1924）。

（注20）　科学の語源はscientiaで単なる「知識」を意味したが、17世紀以降「精密科学」を示すようになった。

（注21）　機械論的宇宙論を体系的に説いたのはデカルト（René Descartes 1596-1650）が最初であったといわれる。人工的な事物を自然の現象に投影し解釈する思考方法は、おそらく都市化によって生み出された信仰がもたらされたものであろう。

（注22）　廣松渉他『哲学思想事典』岩波書店、1998年、221頁。

（注23）　前掲書、1373頁。

（注24）　吉本隆明・梅原猛。中沢新一『日本人は思想したか』新潮社、1999年、97頁。

（注25）　山折哲雄『死の民俗学』岩波書店、1990年。

（注26）　インドで編まれた涅槃経には「一切衆生悉有仏性」（生きとし生けるものは全て仏となる性質を内に持っている）という表現が見える。仏性とは仏としての性質、本性をいう。大乗仏教では生きとし生けるもの（＝人、動物に限らず万物一切をいう）は仏性を持つと考える。

（注27）　行基（668-749）は奈良時代の僧侶。諸国をめぐって民衆強化、寺の造営、池堤や橋梁の設置、社会事業などに努め、行基菩薩と称された。

（注28）　「太古から存続している神の信仰と結びついた霊木……。神が依り憑き給う神木に、異国の神である仏が依り憑き、やがてそこに姿を現し給うという、霊木化現仏の観念が生まれた。」井上正『7-9世紀の美術』岩波書店、1991年、81頁。なお、行基との関係については同書、90頁。

(注29)　円空（1632-1695）は江戸前期の僧。中部地方を中心に各地を遍歴、多数の荒削りの木彫り仏像を残した。円空仏と称される。

(注30)　梅原猛『梅原猛著作集 古代幻視』小学館、2001年。

(注31)　自由と民主を旗印とする欧米などの政治勢力に対し、権威主義に立ち世界の多極化を狙う勢力があるが、こうした国々にも議会を設け、「人民共和国」などの国名を掲げている国々が多いことは興味深い。人間中心主義が人類社会でどれほど優勢を誇っているかを示していると思う。

(注32)　Karl Raymund Popper（19022-1994）。カール・ポパー（内田詔夫他訳）『開かれた社会とその敵』未來社、1980年。

第5章

(注1)　論語 巻第一 為政第二 十五（金谷治訳）『論語』岩波書店、1994年、33頁。

(注2)　前掲書、33頁。

(注3)　外国の憲法改正の回数を引用すると、インド99回、フランス24回、イタリア20回、米国6回、同じ敗戦国のドイツは59回である。日本はゼロ回なので、日本国憲法は世界最古の憲法である。

(注4)　ハール陸戦法規43条は以下のとおり。
国の権力が事実上占領者の手に移りたる上は、「絶対的な支障なき限、占領地の現行法律を尊重して、成るべく公共の秩序及生活を回復確保するため施し得べき一切の手段を尽くすべし」。なお日本及び占領軍はともに本法規の締約国であり、法規の拘束下にある。この43条を根拠に、海外の学者は占領下の他国の憲法を変えてはならないと解釈している。ロシアが占領地の憲法を次々と書き換えることが合法的と考えられるであろうか。

(注5)　アインシュタイン、アルバート及びインフェルト（石原純訳）『物理学はいかに創られたか（上巻下巻）』岩波書店、2013年、8頁。

(注6)　経済不況で生産物や労働力の需要が減退し供給が過剰になると、通常は物価が下落するが、逆に物価が上昇する場合、その現象をstagflationという。stagnation（景気低迷）とinflation（物価上昇）を合成した語である。

（注7） アインシュタイン、アルバート及びインフェルト（石原純訳）『物理学はいかに造られたか（上巻下巻）』岩波書店、2013年、82頁。

（注8） 同じことは個人にも当てはまる。月25万円の年金生活者が家に帰れば高級住宅街に邸宅を構え何億円もの預金がある一方、新宿の繁華街で月200万円を稼ぐ若者がワンルーム・マンションに住み貯金もないという場合、年金生活者はフローが小さいがストックが大きく、逆に若者はフローが大きくストックが小さいことになる。この二つの概念は、社会の物事を的確に測定するための大切な指標（＝物差し）となる。

（注9） E. H. カー（清水幾太郎訳）『歴史とは何か』岩波書店、2000年、125～126頁。

（注10） ここで相とは物事のありさま、性質、特徴、姿などを表わす。

（注11） Martin Buber（1878-1965）。

（注12） 廣松渉他『哲学思想事典』岩波書店、1998年、1025～1026頁。

（注13） フョードル・ミハイロヴィチ・ドストエフスキー（1821-1881）はロシア・ロマノフ王朝の体制転覆を目的とした秘密結社に加わり、死刑判決を受けた。『罪と罰』の他、『カラマーゾフの兄弟』『死の家の記録』『悪霊』など人間と社会の深部に光を当てた作品を残した。

（注14） 精神分析をめぐる深刻な問題点については、精神分析学者自身から厳しい指摘がなされている。岸田秀『ものぐさ精神分析』中央公論社、1996年。岸田秀『続ものぐさ精神分析』中央公論社、1996年。

（注15） 中国の歴史書『三国志』に収められた「魏志倭人伝」には、卑弥呼に関し「鬼道を事とし、よく衆を惑わす」という記述がある。それが天を読む能力を持っていたことの根拠とされたのであろう。

第6章

（注1） ルソー（Jean Jacques Rousseau、1712-1778）は新時代の社会設計をめぐって『社会契約論』などを著し、人間の平等を説いて身分制社会の不合理を主張、近代市民革命の思想的基盤を用意した。自由主義的な教育を唱えた「エミール」を著したことでも後世に影響を与えた。

（注2）　一乗思想は、人だけでなく一切の衆生（生命）が悟りを拓くことができ救済されると教える。廣松渉他『岩波　哲学・思想事典』岩波書店、1998年、81～82頁。なお、天台宗真言宗で説く教えに草木成仏というものがある。これは、心を持たない草木も成仏できるという思想である。

第7章

（注1）　無難禅師仮名法語上・序。この法語集は、江戸初期の臨済宗僧侶であった至道無難が生死・座禅などについて禅の精神を説いたもの。何事にもとらわれない禅の境地を説く。

（注2）　山本常朝（和辻哲郎・古川哲史校訂）『葉隠（上）』岩生書店、2015年、23頁。この書は、鍋島藩の武士であった山本定朝の言葉を聞き取り記したものであるという。

（注3）　もともとは中国の司馬遷が「報任少卿」に著した言葉。日本においても定着した。『太平記 巻十六（日本文学大系35）』岩波書店、1975年 、161頁。

（注4）　Epikouros（前341?-270）、古代ギリシャの哲学者。原子論、快楽主義の立場に立つとされる。出隆他訳『エピクロス―教説と手紙』岩波文庫。

（注5）　Michel Eyquem de Montaigne（1533-1592）。

（注6）　Jean-Paul Sartre（1905-1980）。

（注7）　（原二郎訳）『エセー〈一〉』岩波書店、1993年、174頁。

（注8）　廣松渉他『哲学思想事典』岩波書店、1998年、599頁。

（注9）　（原二郎訳）『エセー〈一〉』岩波書店、1993年、150頁。エセーとは随想録のことである。

（注10）　絶海の孤島に漂着した人間が、動物と比べていかに無力な生き物であるかについてはさまざまな著書がある。「鯨は、自由にどこへでも行くことができるが、自分には島から出ることもできない。あほう鳥は空を遠くまで飛び、魚は海を泳いでゆく。人間というものの無力感が胸にしみ入った。」吉村昭『漂流』新潮社、1981年、98頁。

（注11）　ここでは、自然、宇宙、世界、天はひとしく人を包み込むものとして同じ意

味で使う。

（注12）　シュレディンガー（岡他訳）『生命とは何か』岩波書店、1971年、147頁。

（注13）　前掲書、148頁。

（注14）　フランクル（霜山徳爾訳）『夜と霧』みすず書房、1976年、182頁。

（注15）　前掲書、123頁。

（注16）　新聞の対談記事に基づく。日付等不明。

第8章

（注1）　小林虎三郎は、若い頃江戸に遊学、佐久間象山の下で儒学・蘭学・窮理学（物理学）を学んでいる。その経験が彼の教育論を育てたといわれる。

（注2）　医学博士・小金井良精、東京帝国大学総長・小野塚喜平次、司法大臣・小原直、海軍の連合艦隊司令長官・山本五十六など。他にも多数。

（注3）　戦時中の日本側諜報関係者の名誉のために記すが、日本側も米国の情報は一部解読していた。電信を打つ米側要員が交替したことまで、その発信の習癖から割り出していたという。

《参考文献リスト》

〈和文書籍〉

会田雄次『アーロン収容所』中央公論、1997年
天谷直弘『日本町人国家論』PHP研究所、1989年
伊東俊太郎
　—『中世科学から近世科学へ』(伊東俊太郎著作集第3巻) 麗澤大学出版会、2009年
　—『比較文明論』(伊東俊太郎著作集 第7巻) 麗澤大学出版会、2008年
　—『比較思想』(伊東俊太郎著作集 第10巻) 麗澤大学出版会、2009年
伊藤正己『近代法の常識』有信堂高文社、1997年
井上忠『根拠よりの挑戦』東京大学出版会、1974年
上田敏『海潮音』日本図書センター、2012年
梅原猛
　—「怨霊になった日本人」『神と怨霊』文藝春秋、2008年
　—『隠された十字架　—法隆寺論』新潮社 (新潮文庫)、2008年
　—『日本人は思想したか』新潮社、1999年　吉本隆明・中沢新一が共著者
大栗博司
　—『重力とは何か』幻冬舎、2012年
　—『超弦理論入門』講談社、2013年
岡潔『春風夏雨』角川書店、2014年
亀井勝一郎『大和古寺風物誌』新潮社、1980年
児島襄
　—『東京裁判』中央公論社、1991年
　—『太平洋戦争 (上) (下)』中央公論社、2008年
　—『戦艦大和』文芸春秋、1994年
司馬遼太郎『この国のかたち』文芸春秋、1992年

寺田寅彦『柿の種』岩波書店、2015年
戸部良一他『失敗の本質』中央公論社、1991年
中村元
　―『ブッダの言葉』岩波書店、」2017年
　―『真理のことば　感興のことば』2018年
西岡常一『木に学べ』小学館、1994年
福沢諭吉
　―『西洋事情』慶應大学出版会、2013年
　―『学問のすゝめ』岩波書店、2016年
　―『文明論の概略』岩波書店、2016年
　―『福翁自伝』岩波書店、2011年
柳田国男『海上の道』岩波書店、2017年
吉田満『戦艦大和の最期』講談社、2021年
吉本隆明『共同幻想論』河出書房新社、1968年
和辻哲郎『古寺巡礼』岩波書店、1994年

〈外国書籍〉

アインシュタイン、アルバート及びインフェルト（石原純訳）『物理学はいかに創られたか（上巻下巻）』岩波書店、2013年
アラン（エミール＝オーギュスト・シャルティエ）（森有正 訳）『アラン著作集』みすず書房、1988年
インゲ・ショル（内垣啓一訳）『白バラは散らず』未来社、1975年
ウェーバー、マックス（尾高邦雄訳）『職業としての学問』（岩波文庫）岩波書店、2004年
カー、E. H.（清水幾太郎訳）『歴史とは何か』岩波書店、2000年
カエサル、ガイウス・ジュリアス『ガリア戦記』岩波書店、1992年
ガダマー、ハンス＝ゲォルグ（箕浦恵了・國嶋貴美子訳）『哲学の始まり』（叢書・ウニベルシタス 872）法政大学出版局、2007年

カッシーラー、エルンスト（宮田光雄訳）『国家の神話』創文社、1967年
キケロ、マルクス・トゥリウス（岡道男訳）「国家について」『哲学Ⅰ』（キケロ選集8）岩波書店、1999年
ケルゼン、ハンス（鵜飼信成訳）『法と国家』東京大学出版会、1978年
サトウ、アーネスト（坂田精一訳）『一外交官の見た明治維新（上）（下）』岩波書店、1994年
シュヴェーグラー『西洋哲学史 上巻下巻』岩波書店、2010年
シュレディンガー（岡小天他訳）『生命とは何か』岩波書店、2015年
セネカ、ルシウス・アナエウス（茂手木元蔵訳）『人生の短さについて』（岩波文庫）岩波書店、1997年
ドストエフスキー、フョードル・ミハイロヴィチ（工藤精一郎訳）『罪と罰』新潮社、1968年
ナトルプ、ポール（橘高倫一訳）『哲学　其の問題と其の諸問題』東京大村書店、1931年
ニーチェ、フリードリッヒ・ウィルヘルム
—（茅野良男訳）『曙光』（ニーチェ全集 第7巻）理想社、1970年
—（茅野良男訳）『人間的、あまりに人間的Ⅱ（ニーチェ全集第6巻）』理想社、1970
—（信太昭三訳）『悦ばしき知識（ニーチェ全集第8巻）』理想社、1970年
—（信太昭三訳）『善悪の彼岸・道徳の系譜』（ニーチェ全集第10巻）理想社、1970年
—（信太正三訳）『悦ばしき知識』（ニーチェ全集8）理想社、1970年
ハイデガー、マルティン（細谷貞雄訳）『存在と時間』ちくま書房、2017年
パスカル、ブレーズ（田辺保訳）『パンセ』（角川文庫）角川書店、1975年
フラー、バックミンスター（芹沢高志訳）『宇宙船地球号』ちくま書房、2000年
フランクル、ヴィクトール E.（霜山徳爾訳）『夜と霧』みすず書房、1976年
フロム、エーリッヒ（日高六郎訳）『自由からの逃走』東京創元社、1975年
ホーキング、スティーブン（佐藤勝彦訳）『ホーキング　宇宙と人間を語る』エクス

ナレッジ、2011年
ホッブズ、トマス（永井道雄・宗片邦義訳）『リヴァイアサン』（世界の名著23）中央公論社、1973年
ポパー、カール・R（小河原誠・内田詔夫訳）『開かれた社会とその敵　第一部』未来社、2005年
マッハ、エルンスト（須藤吾之助・広松渉訳）『感覚の分析』創文社、1963年
モノー、ジャック・ルシアン（渡辺格・村上光彦訳）『偶然と必然』みすず書房、1974年
モンテーニュ、ミシェル・エィキェム（宮下志朗訳）『エセー1』白水社、2009年
ラッセル、バートランド
　—（高村夏輝訳）『哲学入門』ちくま書房、2005年
　—（市井三郎訳））『西洋哲学史』みすず書房、1975年
　—（東宮隆訳）『ラッセルは語る』みすず書房、1979年
ラブレー、フランソワ（渡辺一夫訳）『ガルガンチュワとパンタグリュエル　第二之書パンタグリエル』白水社、1949年

《巻末資料》

（資料1）生き物の不思議

1. 植物の甘い企み

生まれ落ちた場所から動くことができない。多くの人はそれを理由に、植物は動物よりも程度の一段低い生き物であると考える。しかし、植物は動けないのではない。必要がないから動かないだけである。植物は、動かなくても生きて行けるだけの仕組みを、気の遠くなるほどの時間をかけて作り出し、完成させている。

動物が動き回るのは、食物を獲得して自分の命を養い、さらにはパートナーを見つけて子孫を残すためである。動物は、自分で栄養分を作り出すことができないし、異性に出会わない限り子孫を残すことができない。これに対し、植物は水・光・CO^2を使って光合成を行い、生きて行くための栄養を得ている。エネルギーの自給自足体制である。さらに、子孫を残すために、花粉を飛ばし、種子を落下させる。そのために利用するのが風や人、動物である。

植物には、果実を付けるものがたくさんある。人は好んで果実、果物を食べる。人は雑食だが、果実は肉や魚、野菜に続き、不動のメニューに入っている。はたして、人は植物の産み出した果物を勝手に横取りして食べているのだろうか。どうもそうは思えない。なぜなら、植物は果物の食べ頃を色の変化や甘い匂いなどによって、わざわざ人や動物に教えているからである。植物がそこまでやるのは、果実の中に詰め込んだ種子を運んでもらうためであろう。うまく運んでもらえるように、人や動物を誘惑する。甘い果汁、柔らかい果肉には、植物の思惑が潜んでいる。人と動物は、食べたいから食べるだけのことだが、そこには動物をうまいこと利用しようとする植物の企みが働いている。植物が地上にこれだけ繁茂しているのは、その作戦にまんまと成功している証拠だ。果実は、植物が下心を持って用意した贈物に違いない。

同じことは花粉にもあてはまる。ミツバチに甘い蜜を用意するのは、体に花粉をつけて運んでもらうために違いない。ミツバチは自分の仕事をしながら、植物の思惑通りに働いているわけだ。自然界が助け合っていることがこれでよく分かる。

果実は食べてもらいたいが、葉っぱは光合成を行うために欠かせないので、食べられては困る。そこで、植物は、葉っぱが食べられないよう虫などを撃退する工夫をしている。果実が柔らかいのに、葉はやたらと分厚いものがあったりするのはそのためだ。また、イヤなにおいを出すものもある。箪笥の虫除けに使う樟脳は、楠木の葉・幹・根を蒸留して製造した生活用品である。樟脳は、もともと自然界で虫除けの役目を果たしていた原料から作られたものだ。

花を覗き込むと、雌蕊（めしべ）が真ん中にあり、その周りを雄蕊（おしべ）が取り囲んでいる。よく見ると、雌蕊が周りの雄蕊たちよりも一段高く伸びているのが分かる。これは、遠くから飛んでくる雄蕊の花粉を受けるためのものだ。すぐ近くの花粉ではなく、遠くの個体の花粉を得ようとする。雌蕊の浮気願望といってよい。これは、植物の多様性を維持するための対策だろう。面白いのは、うまく遠くの花粉が飛んで来ないことが分かると、雌蕊は背が縮んで回りの雄蕊と同じ高さになることである。やむなく、近くから受粉するということであろう。

太古の昔、植物たちは、海の中に生息していた。やがて、光合成を行うため、豊かな太陽光を求めて地上に這い上がるが、上がってみると、そこは思いもかけず、紫外線に満ちた世界であった。じつは、植物は、動物と同じように紫外線に堪えない性質を持っている。海の中は安全であったのに、憧れの太陽を求めて地上に来てみると、その光は毒も放っていたのである。

紫外線から身を守るため、植物が考え出したのは、色素によって体を覆うという方法である。色素は、紫外線を断つ効果を持つ。植物は、この色素を大いに工夫、活躍させて、その後の地上の繁栄を築いた。この色素こそ、花弁に絶えなる色彩を与え、人間たちを魅了してやまない花の主人公である。紫外線の強い赤道直下や山に咲く花が鮮やかな色彩を帯びるのは、そこの紫外線が強く、それだけ色素が溢れんばかりに作用するためであろう。花は、自然から人間に与えられた最上の贈物といっていいだろう。

花が美しくなったのには、もう一つ理由があるように思える。それは、花粉の散布のために虫や鳥を引き付ける必要があるのだとすれば、植物は色彩や形によって視覚的に目立つ必要があったのではないか。くすんだ色より、光耀として眼を惹きつける色彩は、そのために有効だったはずだ。他を押しのけても、目立たなければならない。生存の競争が、多様な花たちの美の競演を産み出したと考えられる。その競演に最も魅せられているのは、人間たちである。なにしろ、私たちは、花卉——それは、美しい仮面を付けた植物の生命体——の生態・養分を研究し、手をかけてせっせと——それを嫌とも思わず、何と楽しんで！——庭や公園に植えているのだから。花たちは、にっこり微笑んでいるに違いない。人間たちを駆り立てるほどの力。そこに、植物の強かな生命力を感じる。

植物は、地上世界に膨大な量の酸素を供給する。その酸素は、人をはじめ動物の生命を養う。それだけをみても、植物は地上を動き回る人と動物の生殺与奪の権を握っていることがよく分かる。

2. クジラと音波

潜水艦はソナー（水中音響機器）を備えている。超音波を発信し、目標から反射して戻ってくるまでの時間を測定する。第二次世界大戦後にソナーの聴音能力が飛躍的に高まると、海の中は不思議な音に満ち溢れていることが分かった。ソナーは、カチカチ、モウモウなど得体の知れない無数の音を拾ったのである。それらは、クジラの鳴声、話声であった。

クジラはもともと陸上の生物であった。子供の頃、クジラは魚ではないと教えられて不思議に思ったが、陸で生活していたのなら海で生活する魚類とは違って当然だ。獲物を捕まえるのに音波を利用した。石や木の向こう側にいる獲物を音波で探知、敵に気づかれないうちに接近、捕捉できた。やがてクジラは、音波は水中の方がはるから効率よく反響することを知って海中に入って行く。水中で暮らしてみると、海洋は海域と深度によって水質も温度もまるで違うことが分かった。クジラたちは、その違いを通信のために利用する。例えば、海中には温度の違いによって巨大な板のように固くなった水の塊が遠く帯のように続いている。その帯の端を振動すると、数千キロ又はそれ以上の距離を音響が瞬時に走っていく。クジラの交信が遠く近く、海洋の至る所で聞くことができるのにはそのためである。

人間は潜水艦のソナーを開発したが、そのことをクジラより上等である理由にしていいものだろうか。するのは動物よりも優れているとようにことができることをしればはるか彼方の仲間に情報を伝達できることを

1815年、イギリスとフランスの両国関係は、暗雲垂れ込め、欧州の覇権を争う頂上決戦が避けられない情勢となっていた。6月28日、ウェリントン将軍率いるイギリス軍とナポレオン将軍率いるフランス軍は、ベルギーの中部、ブリュッセル南方にあるワーテルロー村の付近で、ついに決戦の火蓋(ひぶた)を切った。戦いの行方は、実業家、金融家の命運にも関わる大事件であった。電話、ファックスどころか、電報もない時代である。ナタンは、迅速で正確な情報が欠かせないことを心得ていて、事業の拠点を構えるロンドンから情報網を整えるための指示を出していた。ワーテルローの戦いに際しては、特に念入りに準備をした。欧州中に通信員を配置し、伝書鳩や伝令を使ったのである。

3. 樹木の根、鳥、蜘蛛

地球上の生き物たちの不思議を考えると、興味が尽きない。驚異と不思議の例は数に限りがなく、不思議の奥深さもまた果てしがない。その中には、あらゆる動植物、人体ももちろん含まれる。

樹木は、根から吸い上げた水分や養分が導管を通過して行く。その導管は、樹木の天辺にまで達する。不思議なのは、水と養分を吸い上げ、行き渡らせるポンプの強力である。巨大な樹木の場合、最上部に達するだけの吸引力は凄まじく、計算上はあり得ないのだという。しかも、樹木のポンプは人工のものとは違って、樹齢の限り動きを止めることがない。修理も全て自前で制御するのだろう。

猫は、どんな姿勢で落下しても一瞬のうちに体を立て直して四足で地面にストンと落ちる。アメリカでは、ビルの50階（高さ250メートル）から転落し、または竜巻に巻き込まれて6キロ先の地点に落下した猫に何の怪我もなかったという事例が知られているそうだ。落下の途中、空気抵抗を最大限に利用して落下速度を殺すように体を制御しているためだという。

日本人はウナギが大好きなのに、その生態はよく知らない。しかし、近年、ウナギ

は遠くフィリピンの近くの海溝に生まれ、それがはるばる日本に来ていることが分かったという。生む時にはやはりそこまで里帰りする。道をよく知っていなければたどり着くことはできないはずだ。鮭は故郷の川に戻ってくるが、あれも道を記憶しているからできる技ではないだろうか。

道の記憶といえば、伝書鳩は遠くで放しても正確に戻ってくる習性を利用して古くから西洋で使われてきたが、専門家が実験をやったところ、鳩は森や川の様子を記憶して戻っているらしいことが分かったという。それだと海は超えられない。第二次世界大戦の折、連合軍はノルマンディー上陸作戦を決行したが、その折、戦闘状況を報告するために英軍は伝書鳩を利用する計画を立て実行した。ところが、戦闘の最中に鳩を放ったら、全く別な方角に飛んで行って役に立たなかったという話がある。ドーバー海峡を超えられないということなのか、それとも大小の砲が炸裂する中で、鳩の気が動転してしまったせいなのか分らない。

渡り鳥は、海洋の上空を一万キロ以上飛行し続ける能力を持つ。それだけの距離を休憩なしに筋肉運動を反復することのできる動物は、他にはない。驚異の強靭性である。

蜘蛛は毎日、体から噴き出した糸を使い、捕食のための網を張り替えている。飛んで来る虫たちに網が見えないように場所の特性を活かし、光の加減を考慮に入れながら、デザインを工夫する。光は一日の時間帯に応じて角度が変わるから、そうした点も考えるだろう。あの技はどこで覚えるのだろう。蜘蛛は建築学の博士号を授与される十分な資格があるのではないだろうか。

生き物たちの優れた能力を本能で説明し、それで終わってしまうのであれば説明にはならないだろう。「本能なのだ」「自然とはそういうものだ」という説明は、それ以上の解明をやめるのだから思考停止である。人の行動を何でも文化現象として説明し、人間行動の違いをすべて文化の違いにするのと同じである。

4. 数千度の熱水と蟹

その映像を見ると、海底の岩石に空いた穿孔から、数千度の熱水が白い泡とともに湧き出している。潜水艇に装着されたカメラの画像が歪むほどの高温である。その熱水の噴出口を取り囲むように、蟹のような甲殻類の生物が群生し動かない。噴き上がる熱水に身を任せているのだろう。きっと日本人が風呂に入った時に得る、あの安息感のうちにいるのに違いない。これほどの高温を喜ぶ生物の姿がカメラで捕えられたのは初めてだという。

最近、生物の棲息環境をめぐる研究が進み、これまでは生息が不可能と看做された地下の鉱物資源の中にも微生物の存在が確認されたそうだ。「不可能」「初めて分かった」ということは、今までは生物の居住環境の適性を人間が勝手に決めていたことを意味する。生きられるはずがないという結論をヒトという生物を基準に出していたということである。

銀河系宇宙には生物が棲息できる地球のような星がほとんどないとか、多少の割合で存在するという議論をよく聞く。そうした議論は、ヒトと同じような生命体を前提にして行われている。しかし、私たちのような生命の形態だけが生き物なのだろうか。確かに、自然法則は宇宙に遍く行き渡るので、生物は宇宙に存在する限り自然科学の法則に従って存在するだろう。しかし、仮に知的生命体に限るとしても、ヒトのような生命の形態しかあり得ないと誰が断言できるのだろう。

宇宙には自然法則が遍く当てはまると書いたが、その自然科学もまた生命体の知見の発展段階に応じて異なるだろう。すでに人類は、重力理論と素粒子理論の矛盾に直面し、両者を結合する一般理論に迫ろうとしている。宇宙に高度な知的生命体が存在するとして、彼らの獲得した自然科学が人類と同じものだという保証はない。自然科学と数学の関係に関しても、自然科学は異なっても数学は同じだろうという人もあれば、逆だという人もある。

自然科学には、広大な未開拓の領域がある。りんごを食べたことのない人は、りんごを食べたいとは思わない。りんごの存在を知らない人々もある。その場合は、りんごを知らないままの自分に気づくこともない。人類は未知の宇宙を語る。知らないからこそ想像をめぐらすのであり、それは人類に許された夢、特権に違いないが、大切なのは限られた知見に基づいて未知の世界を語っているという自分たちの立場について認識を持つことだと思う。人類よりもはるかに高度な知的能力を駆使する生命体が、人類とは異なる方法で自然法則を活用して生存する可能性は誰にも否定できない。そうした知的生命体が人類の知らない通信手段によって交信を行っていても、私たちはそれに気づくこともない。科学者の中には、宇宙的生命体との交信を試みる人々がある一方で、人類の能力の限界を指摘する声もある。

（資料2）議論のためのテーマ〈参考例〉

A．臓器移植法と日本人の死生観

日本では、1997年に施行された「臓器の移植に関する法律」によって、心臓・肝臓・腎臓・角膜などを他人から取り出して移植することができるようになった。臓器は生きた人ではなく、「死体」から取り出すのでなければならない。しかし、「死体」の中には脳死と判定された人が入る。このことは、「医師は……臓器を、死体（脳死した者の身体を含む。……）から摘出することができる。」という規定によって明らかである（6条1項）。これによって、医師が脳死と判断する限り、たとえ心臓が動き、呼吸をし、体温が温かいままの人であっても、心臓などを取り出してよいということになった。

この法律をめぐっては当初から賛否が厳しく対立し、国会でも共産党を除く各党は「議員個人の宗教的な心情に関わる」ことを理由に党議拘束を外し（政党が党として賛否の方針を決定しないこと）、議員が自主的に投票することを認めた。賛成論は、移植によって助からない命を救うことができる、臓器が活用できるなどを理由に挙げる。これに対し、反対論は、誰かの生き残りのために他人の生命を奪うことは許されないなどと主張した。反対論の中には、脳死に陥っても蘇生する可能性があることを指摘する声もある。

この問題はなかなか難しいが、臓器提供者（ドナー）、被提供者（ドニー）のどちらの立場から考えるかによって答えは違ってくるだろう。さらには、臓器を求める人々の切実な思いと望ましい制度を考える必要（制度設計）のどちらを優先するかによっても違うだろう。それは、臓器に障害がある人の痛みを第一に答えるべきか、生命に関わるので（当事者ではない）第三者の冷静な判断を尊重すべきかの問題と言い換えてもよい。

臓器を求める家族の思いを尊重し、配慮しなければならないのは当然としても、利害関係者であるが故の問題もある。人は利害が絡むと、自分の必要・利益だけを主張し、他を顧みる余裕などなくなってしまうことが多い。我田引水である。こうした点を考慮し、法律は利害関係者を排除するさまざまな仕組みを定めている。刑事手続を定めた刑事訴訟法は、裁判官又は一定の親族が犯罪の被害者である場合などに職務から排除されることになっている（忌避・除斥）。民事訴訟法にも似たような定めがある。また会社法は、特別な利害関係がある場合、取締役は取締役会の決議において議決権を行使できないと定める。例えば、取締役は会社と土地などの取引を行う場合、取締役会の承認を得る必要があるが、その決議に当事者である取締役は参加することはできない。こうした制度は、冷静な判断を確保するためには利害関係のある者を排除することが必要であることを教えている。生命に関わる問題となれば、その必要性は一層高まるであろう。

もう一つ考えなければならないのは、臓器移植に関わる医療関係者の利益である。かつて医師たちは、「生きている限り、患者の生命を守るのが医者の使命」と語っていた。しかし、臓器移植が医学的に可能になった途端に、「人は生きてさえいればいいというものではない、生に値する人生である必要がある」として尊厳死を説くようになった。医療産業は、防衛産業を上回るビッグ・ビジネスである。治療をめぐる医師哲学の変化の背後に、臓器移植がビジネスとして成り立つようになったという事情はないであろうか。

人の生命と死に関しては、さらに考えなくてはならない問題がある。果たして死は受け容れるものか、拒むものかという問いである。それは、臓器の障害に見舞われた場合には人は死を受け容れなければならないのか、それとも、どこまでも死を拒絶し生き残るために手段を選ばず使ってよいのか——たとえそれによって他者の生命の灯が消えることになっても——という問題につながっている。我田引水は、自分の田に水を引くことで、自分に都合の良いように物事を考えることを意味する。臓器移植とは、生命をめぐる究極の我田引水の問題である。

日本では武士の時代からの伝統で、死は受け容れるべきものという考え方が根強いように思われる。法律の施行後20年近くが経過するが、日本人の間に死後の臓器移植に同意する人が非常に少ないのは、おそらくそうした死生観の影響もあるのではないだろうか。

B．選択的夫婦別姓

結婚しても夫婦の姓が変更しない中国のような例もあるが、日本や米国、欧州など多くの国では同一の姓に変更することが多い。多くは夫の姓に統一する。ところが働く女性など、それに不便を感じる人も少なくない。そこで、旧姓を「通称」として用いる方法が行われる。日本では、2001年に国家公務員に旧姓の使用が認められた。しかし、通称に留まらず、戸籍上も夫婦の別姓を認めるべきだと主張する人々もある。それが「夫婦別姓」の問題である。別姓にするかどうかを夫婦の選択に任せる場合、それを選択的夫婦別姓の制度と呼ぶ。主に二つの論点が指摘されている。

第一は、夫婦別姓を制度化すると、戸籍上家族の間で夫婦の氏が異なる場合が出てくるが、これをどう考えるかが問題となる。賛成する人は、夫婦同姓を強制する現在のやり方がおかしいと主張する。反対する人は、氏の問題は個人の選択に任せてよい問題ではなく、公的制度であると説く。

第二は、子供の氏の問題である。複数の子供の姓がばらばらになってよいか、夫婦の意見が一致しない場合にどちらの姓にするのかなどの問題が指摘される。子供が一定の年齢に達した後に選択させるのが良いという人もあるが、子供の意思を尊重するように見えて実は子供に難しい問題の決定を強制する面（丸投げ？）があるのではないだろうか。北欧では、意見が一致しない場合に母の姓とするようだが、権力がむりやり子供の姓を決定する場合、それが家庭不和を増長する場合があるかも知れない。結婚した時は、夫の姓にすることに同意していたのに実際に子供が誕生すると自分の姓にすることを要求する女性の例もあるという。

こうして、夫婦別姓には個人の自由選択の問題として片づけるだけでは済まない多くの問題がある。ただ、世界を見渡すと、夫婦同姓を強制する例は少ないようだ。選択的別姓が増えているという。しかし、そうした国々もで、実際には夫の姓に揃える家族が大多数であるようだ。

C．法と公平～タイタニック号の悲劇（船賃の安い乗客を救命ボートの救助対象から外したことは正当か）

タイタニック号という豪華客船を舞台にした映画があった。これは1912年に北大西洋を処女航海中に実際に起こった事故を元に作られた映画だ。濃霧の中で船が氷河に激突し、沈没することが確実となったので、船長は乗客を救命ボートに移すことを決めるが、ボートが足りず全員は助けられないため、優先順位が決められた。従わない者は、乗組員が銃で射殺する。実際に、男が無理に乗り込もうとして射殺されるシーンがあった。優先されたのは子供・女性である。ところが、子供・女性であっても、船室が船底にある安い運賃の乗客は、救助の対象から外されたのである。貧しい移民の親子が死の覚悟を決め、沈む船の片隅で庇い合うシーンが悲しかった。果たして、船長の救助方針は公平であろうか。

人間は平等で、生命の価値に差はないのだから、船賃が安いからといって救命ボートに乗せないのは不公平だと感じる人もいるに違いない。そうした考え方に従うと、死亡した場合の賠償金も同じでなければならないことになるだろう。これに対し、高い船賃を払った乗客は、食事や部屋が上等になるように、事故に遭遇した場合も手厚く扱ってもらって当然だと考える人もいるだろう。しかし、食事や部屋のランクと生命価値の問題を同じように考えていいだろうか。安い船賃の乗客は、料金を払う時に食事・部屋のランクが落ちることには同意していても、船が沈む場合に助けてもらえないこと（死ぬこと！）に同意はしていないだろう。船会社もそんな質問はしないし、契約書をみても何も書いていない。そうだとすると、船底の乗客を救助しないのは、不公平ではないか。しかし、救助できる人には限りがある。実際の事故では乗員・乗客2200人のうち1500人が死亡、助かったのは700人だけであった。今なお最大の海難事故とされている。

D.　同一事故で亡くなった多数の乗客の損害賠償

交通機関の事故で同時に多数の人が死亡すると、賠償の金額をめぐって争いが起こる。年収と平均余命年数を基準に賠償金を決めるのが普通だが、金額にかなりの開きが出る。

生命の価値に違いはないのに賠償金に違いがあるのは不公平だとして、同額を払うべきだと主張する学者もある。しかし果たして、事故の賠償金は生命の値段を計算した結果なのだろうか。近代の理想は人間を尊厳あるものとし、カネで生命を計算するなど認めていないのではないか。そうだとしたら、賠償金の額と生命の価値を結びつけるのは間違っているのではないか。

生命を償うことは不可能で、賠償金は事故の経済的側面に限って損失分（喪失分）を埋め合わせるもの（でしかない）と解すべきではないだろうか。もしそうだとすると、年収の異なる人々の間で賠償額が違うのはやむを得ないし、当然だということになる。しかし、子供の賠償の場合、日本では、男子は4年制大学、女子は短大を卒業する前提で算定するために、男女の間に大きな開きが出る。果たして、それでいいだろうか。男女の差別や格差の存在を裁判所が当たり前のように受け容れているようにも見える。

公平をめぐる問題は奥が深くなかなか難しい。賠償金の問題は、そうした大きなテーマに関連した一つの問題である。人は平等だから公平に扱わなければならないといっても、具体的な事件の中で何が公平かを探ることは簡単ではない。しかも、公平をめぐる問題は、国家と市民の間だけではなく、学校・職場・地域にも溢れている。年金や所得税の制度設計をどうするか、ゴミ焼却場・刑務所・保育園・マンション建設に反対する住民があったら中止すべきか、などの問題はその一部に過ぎない。最近は、東日本大震災のガレキの処理が、引き受けようとする自治体の住民の反対で、震災から5年が経過したというのになかなか進んでいないという。反対があっても、法の強制によって処理を進めるべきだという意見もある。

民主主義の社会では、人間の平等、公平を出発点として多数の人々が納得できるような基準を立てるのが原則だ。しかし、利害が複雑に対立する現代社会では、個人や集団に「公平の原理」を実際にあてはめ、具体的な基準を探り出す作業はなかなかに難しい。政治と法の難しさはそこにある。

E.　大学の入学試験における女子の特別枠

女子大学が認められているのだから、入学者の一定枠を女子のために取っておいたとしても何ら問題がないと考える人もいるかも知れない。しかし、女子大は女子だけの入学許可を宣言しているが、共学の大学はそうではない。それなら、一定枠を設けることを事前に示して実施すれば問題はないことになるだろう。

もともと女子大学は、男性優位の社会の中で女性に教育の機会を与えることによって社会進出を促すという理想の下に設立されたものだ。したがって、共学の大学であっても、女子に対し、より手厚く教育の機会を与えるという考えの下に特別枠を設けるのは問題ないと思われる。しかし、入学試験の公正、公平のためには、試験の実施に先立って特別枠の存在を入学希望者に開示することが必要ではないか。

最近、米国の複数の名門大学でアジア系の入学者を一定の割合に制限していたという疑いが浮上した。成績が優等であっても、アジア系学生の割合を制限するために合格を操作していたという。これが事実だとしたら、いくつかの問題が指摘されなければならない。第一に、事前に枠の存在が示されていなかったという点。第二に、より重要な点として、積極的優遇策（affirmative action）のような特例措置は多数派を制限し少数派の社会進出を促す手段として使われてきたもので、それを逆に少数者の利益を制限するために使うとすれば、従来の「社会進出の支援」という説明は通用しない。大学にも経営の観点、さらには米国の教育機関として米国の若者を優先したいとい事情はあるだろう。そうだとしても、従来とは別の説明、根拠が必要になると思われる。

F．女性専用列車

以前、大阪から京都に行った時、お昼頃に阪急電車に乗ったが、どうも車内の様子がおかしいのに気がついた。本を読む私の顔を他の乗客がちらちらと見ている。気のせいだろうと思って本に目を落としていると、車掌がやって来て、「ここは女性専用車ですので、移動願います。」といわれた。隣の車両を見ると、混んでいて空席はない。こちらはガラガラで女性たちがゆったりと座っている。腑に落ちないので、「女性専用車は痴漢対策でしょう？混雑の時間帯に女性用を設けるのは分かるが、昼の時間になぜ女性だけ優遇するのですか？」と聞いた。東京にも専用電車はあるが、それは通勤時間帯に限られている。聞いても、車掌から返事はなかった。

米国では、過去から続いた少数民族や女性に対する差別を解消するために、大学入学や官庁の職員の採用・昇進などで、被差別者を逆に優遇するとい方法が1970年代以降に実施されてきた。これをaffirmative action（積極的優遇策）と呼ぶ。例えば、大学の入学試験で、少数民族に一定の入学枠を用意し、それが満たされるまでは試験の点数が多数民族の受験生より低くても合格にするという方法である。カリフォルニア州では、医学部の試験に落ちた白人の男性が点数の低い受験生を少数民族の出身であることを理由に優遇するのは多数者に対する不当な差別だと訴える裁判まで起きた。しかし、米国では、これまで少数者や女性は不当な差別の下にあったのだから、それが解消されるまではいわば人工的に被差別者を優遇することに問題はないという考え方が定着している。

こうした米国の考え方の影響だと思うが、最近、日本では理由のよく分らない男性差別があるような気がする。例えば、コーヒー店のトイレは、二つあった場合、女性はどちらも使えるが、男性は片方しか使えないということがよくある。女性客が多いせいかと思うと、そうでもない。むしろ男性客の方が多いのだ。「積極的優遇策」の理由は不明だ。昼間に運航する女性専用電車もそうである。何の意味があるのか分らない。

最近、個人情報の保護がうるさくなってきた。「個人情報だから」という理由だけで、情報の提供が拒まれることも多いらしい。例えば、自然災害などの際に地域の自治組合が避難を効率よく進めるために、一人暮らしの老人、病人などを事前に把握しておく必要があるが、役所によっては「個人情報」を盾に情報を全く教えない例があるという。これでは助かる命も助からない。個人情報を保護するために制定された法律は、正当な理由もないのにむやみと漏洩することを禁止するもので、情報の開示が絶対に禁止されるのではない。その兼ね合いは、開示の目的と手段・方法を総合的に勘案して決められる。災害、犯罪に伴う緊急事態のためであれば正当な理由があり許容される。こうしたことを何も考えないと、「個人情報」という言葉だけが独り歩きし、常識からはみ出したことが行われる。仏を作って魂を入れず。女性優遇を理由に、トイレや専用電車で特別扱いするのと同じ話である。

米国では、最近、軍内部でトイレの使用や採用、配属に関して男女の性差を基準としないトランスジェンダー（transgender＝性無差別）の動きが活発化している。トイレの場合は、共用が増えるという話だ。そうした動きは今後、世界に広がって行く可能性もある。トイレを共用にしないまでも、女性にだけトイレを増やし、日中空いている時間帯に女性専用の車両を設けるなどの扱いは、トランスジェンダーの動きとはさかさまで、わざわざ男女差を強調する動きであろう。優遇する方は大真面目でやっているだけに、傍(はた)からはずいぶんと滑稽に見える。

（資料3）良書の例

人により良書と考える書物、作品は異なる。ここに収録したのは、全て実際に著者自身が読み、特に優れたものと実感した書物、作品だけを選んだ。世間で評判の高い本でも、著者がまだ読んでいない、又は読んでも良書とは感じなかったものは収録していない。

〈日本文学〉

古典文学　『今昔物語』『保元物語』『平家物語』『太平記』『万葉集』『枕草子』『方丈記』『徒然草』『とはずがたり』『和泉式部日記』『かげろふ日記』『更級日記』『伊勢物語』『土佐日記』『梁塵秘抄』

森鴎外　『高瀬舟』『舞姫』『阿部一族』『護持院原の仇討ち』『雁』『青年』『山椒大夫』

夏目漱石　『夢十夜』『草枕』『心』『それから』『門』『三四郎』

谷崎潤一郎　『春琴抄』『細雪』『少将滋幹の母』『刺青』

芥川龍之介　『羅生門』『杜子春』『トロッコ』『藪の中』『鼻』『芋粥』『地獄変』

川端康成　『雪国』『伊豆の踊子』

宮沢賢治　『風の又三郎』『セロ弾きのゴーシュ』『よだかの星』『銀河鉄道の夜』『グスコーブドリの伝記』

三島由紀夫　『金閣寺』『潮騒』『豊饒の海』

井上靖　『額田王』『天平の甍』『しろばんば』

志賀直哉　『城崎にて』『清兵衛と瓢箪』

大岡昇平　『野火』『俘虜記』

中島敦　『山月記』『李陵』

石川啄木　『一握の砂』

上田敏『海潮音』

司馬遼太郎　『坂の上の雲』『この国のかたち』

山本有三　『路傍の石』

下村湖人　『次郎物語』

吉川英治　『三国志』
吉田満『戦艦大和』
吉村昭　『漂流』『戦艦武蔵』

〈外国文学〉
ソポクレス『オイディプス王』
セルヴァンテス『ドン・キホーテ』
シェークスピア『マクベス』『ハムレット』『リア王』
メルヴィル『巨鯨』
モーパッサン『女の一生』
ロマン・ロラン『ジャン・クリストフ』
ゲーテ『若きウェルテルの悩み』『ヘルマンとドロテーア』
カミュ『ペスト』『異邦人』
カフカ『変身』『審判』
トーマス・マン『魔の山』『トーニオ・クレーゲル』
ヘルマン・ヘッセ『車輪の下』『ラテン語学校』『青春はうるわし』
ジッド『狭き門』『一粒の麦もし死なずば』
マーク・トウェイン『トムソーヤの冒険』
デフォー『ロビンソン・クルーソーの生涯と冒険』
スウィフト『がリヴァー旅行記』
ヘミングウェイ『老人と海』
メルヴィル『巨鯨』
ドストエフスキー『罪と罰』『白夜』『カラマーゾフの兄弟』『貧しき人々』
トルストイ『アンナ・カレーニナ』『セワストーポリ』『人は何で生きるか』『愛のあるところに神あり』
ゴーゴリ『外套』『鼻』
シュウエル『黒馬物語』

〈哲学〉

中村元『ブッダのことば』

セネカ『人生の短さについて』

ニーチェ『曙光』『悦ばしき智恵』『道徳の系譜』

ラッセル『ラッセルは語る』『哲学入門』『西洋哲学史』

シュヴェーグラー『西洋哲学史』

寺田寅彦『柿の種』

岡潔『春風夏雨』

梅原猛他『日本人は思想したか』

ハイデガー『存在と時間』

〈歴史・政治・評論他〉

カエサル『ガリア戦記』

アーネスト・サトウ『一外交官の見た明治維新』

吉田満『戦艦大和の最期』

児島襄『東京裁判』『太平洋戦争』『戦艦大和』

福沢諭吉『西洋事情』『学問のすゝめ』『文明論の概略』『福翁自伝』

勝海舟『氷川清話』

陸奥宗光『蹇蹇録』

フランクル『夜と霧』『死と愛』

インゲ・ショル『白バラは散らず』

フロム『自由からの闘争』

E. H. カー『歴史とは何か』

丸山真男『日本の思想』

伊藤正己「近代法の常識」

西岡常一『木に学べ』

会田雄次『アーロン収容所』『日本人の精神構造』

天谷直弘『日本町人国家論』
伊東俊太郎『比較文明論』
トクヴィル『アメリカの民主政治』
バックミンスター・フラー『宇宙船地球号』
柳田国男『浜の月夜』『遠野物語』『ウソと子供』
亀井勝一郎『大和古寺風物誌』
和辻哲郎『古寺巡礼』
ポパー『開かれた社会とその敵』

〈自然科学〉

アインシュタイン『物理学はいかにして作られたか』
ホーキング『ホーキング　宇宙と人間を語る』
大栗博司『重力とは何か』『超弦理論入門』
モノー『偶然と必然』
シュレディンガー『生命とは何か』

◎桜美林大学叢書の刊行にあたって

「隣人に寄り添える心を持つ国際人を育てたい」と希求した創立者・清水安三が一九二一年に本学を開校して、一〇〇周年の佳節を迎えようとしている。

この間、本学は時代の要請に応えて一万人の生徒・学生を擁する規模の発展を成し遂げた。一方で、哲学不在といわれる現代にあって次なる一〇〇年を展望するとき、創立者が好んで口にした「学而事人」（学びて人に仕える）の精神は今なお光を放ち、次代に繋いでいくことも急務だと考える。

一粒の種が万花を咲かせるように、一冊の書は万人の心を打つ。願わくば、高度な知性と見識を有する教育者・研究者の発信源として、現代教養の宝庫として、さらには若き学生達が困難に遇ってなお希望を失わないための指針として、新たな地平を拓きたい。

この目的を果たすため、満を持して桜美林大学叢書を刊行する次第である。

二〇二〇年七月　学校法人桜美林学園理事長　佐藤　東洋士

佐藤正典

（さとう・まさのり）

東京大学文学部西洋史学科卒業。
東京大学大学院法学政治学研究科（民刑事法）修士課程修了。
フランス・パリ市の高等商科大学院 (Hautes Études Commerciales) に留学。
現在、桜美林大学教授（民法、企業法）。
歴史・文化に関心があり、京都・奈良の寺院・仏像を訪ねる旅は60回を超える。植物散歩、料理とお酒、落語をこよなく愛する。
東京都武蔵野市在住。

人はなぜ学ぶのか――学問の事始め――

2023年8月20日　初版第1刷発行

著者　佐藤正典
発行所　桜美林大学出版会
〒151-0051　東京都渋谷区千駄ヶ谷1-1-12
発売元　論創社
〒101-0051　東京都千代田区神田神保町2-23　北井ビル
tel. 03（3264）5254　fax. 03（3264）5232　https://ronso.co.jp
振替口座　00160-1-155266

装釘　宗利淳一
組版　桃青社
印刷・製本　中央精版印刷

ISBN978-4-8460-2316-4